7つの明るい未来技術
2030年のゲーム・チェンジャー
渡辺浩弐
JN030187
星海社
257
SEIKAISHA
SHINSHO

はじめに

僕の本業は小説家で、「ゲーム・キッズ」と題したＳＦショートショート・シリーズを書き続けている。１９９０年代にスタートし、最近では『令和元年のゲーム・キッズ』『２０２０年のゲーム・キッズ↓その先の未来』（ともに星海社ＦＩＣＴＩＯＮＳ）等がリリースされている。

このシリーズは、現実の最先端テクノロジーの情報をもとに近未来をシミュレートすることを旨（むね）としている。最新作を書くにあたって今（２０２２〜２０２３年）注目を集めているテクノロジーをあれこれ調べていたのだが、そこで刺激的かつ現実的な……明日にでも我々の生活を激変させるような……テーマに多く行き当たった。過去にこれほど手応えがあったことはないと断言できるほどだ。

星海社の太田克史（おおたかつし）氏に相談し、同社のサポートのもと、本腰を入れて追究させてもらえることになった。注目の先端テクノロジーの現場で研究と実用化に取り組むキーパーソンたちにアポイントをとり、インタビューを重ねた（※お仕事で多忙ななか取材に協力くださった皆様、本当にありがとうございました)。

彼らは皆「それはどのような未来につながるか」ということに、確固たるイメージを持っていた。それらは具体的でありつつ、希望に溢れ、それでいて深く掘るにつれて胸騒ぎを誘発するものでもあった。どの話もあまりにも面白かった。

特に今、様々なテクノロジーが水面下で複雑に関与しあいながら進化していることが興味深かった。例えば食用昆虫の品種改良に、遺伝子操作技術が生かされている、そして遺伝子の解析や操作が様々な場で行われるようになった背景にはコンピュータ技術、とりわけＡＩの劇的な進歩がある……といった具合に。全てが繋がり合いながら同じ方向に進み、この先の何か大きなものに続いているように思えた。

その正体を見極めたいと思った。ＳＦ小説を書く手をいったん止め、この「未来」をまとめることにした。

目次

第1章 人工冬眠

冬眠技術で、未来に。

あなたは死にたくない。

人間はいつか必ず死にます。そう言われても、あなたが納得することはない。自分だけは生きたい。永遠に生き続けたい。そう思っている。

あなたは不老不死になりたいのだ。

けれどその技術は、少なくともあと100年くらいは完成しない。

だったら、もうだめなのか。あなたは死ぬしかないのか。

いや一つだけ希望がある。

「不老不死の技術が完成する未来まで眠る」

という方法だ。

「不老不死」は無理でも、「未来まで眠る」技術は、もしかしたらあなたが元気なうちに完成するかもしれない。


僕も、ちょっと1000年くらい人工冬眠してみようかと思ったことがある。それを実行するために渡米した。20世紀末の話だ。

訪れたのはアメリカの中央部、アリゾナ州フェニックス「アルコア延命財団」だった。

人工冬眠サービスを行っていて、当時すでに数十人の身体を冷凍保存していた（その時のエピソードは『死ぬのがこわくなくなる話』（星海社）という本にも書いた）。

そこで人工冬眠に入ることを寸前で踏みとどまった理由は、技術的な不安だった。

アルコアでは、契約者が死んでから、その全身ないし頭部を凍らせる方法をとっていた。マイナス186℃の液体窒素を満たしたカプセルの中で保管する。そこから蘇生させることができるとはどうしても思えなかった。

アルコア会長（当時）のステファン・ブリッジ氏に、この点を聞いた。

「本当に生き返ることができるんでしょうか」

「ノープロブレム。未来にはその技術があります。あるいは、その技術がある未来まで眠れば良いのです」

「それはかなり先のことになりませんか」

「それもノープロブレム。人工冬眠している間、あなたに時間は存在しません。あなたは眠りについた次の瞬間には目覚めるんですから」

確かにそれはそうだ。しかし、蘇生の方法はともかく、蘇生を前提に入眠させるのなら、それなりの措置は必要ではないか。

特に「記憶」の維持が不安だった。脳細胞を不可逆的に破壊されたとしたらどんなに未来のどんなにすごい技術でも、それを元通りにすることは不可能ではないか。

眠りにつくにはまだ、ほんの少し、早い。僕はそう考えた。

それから約20年、ずるずると生きながらえながら、ずっと見守っていたのがこの技術領域だった。

待ち続けた。人間を安全に冬眠させる。そして再生させる。そんな技術が開発されたら、それで不老不死を得ることができるのだ。

そして2020年。日本の科学者により、ブレイクスルーと言うべき発見があった。

理化学研究所・生命機能科学研究センターの砂川玄志郎（すながわげんしろう）氏と筑波

「アルコア延命財団」の人体冷凍保存用カプセル。

大学の櫻井(さくらい)武(たけし)教授を中心とする共同研究グループが、通常は冬眠しないマウスを冬眠させることに成功したのだ。それは、脳の一部に存在する神経細胞群を興奮させるという方法だった。

冬眠しないはずの哺乳(ほにゅう)類(るい)に、冬眠のスイッチが存在したのだ。

ならば人間にだって「冬眠スイッチ」があるはずだ。それはもしかしたらとても近い将来に発見されるかもしれない。そんな期待をしても良いだろう。

僕の寿命は、死の瞬間は、もうすぐそこまで迫っている。急がなくてはならない。さっそく砂川氏に取材を依頼した。

（取材・2022年5月12日）

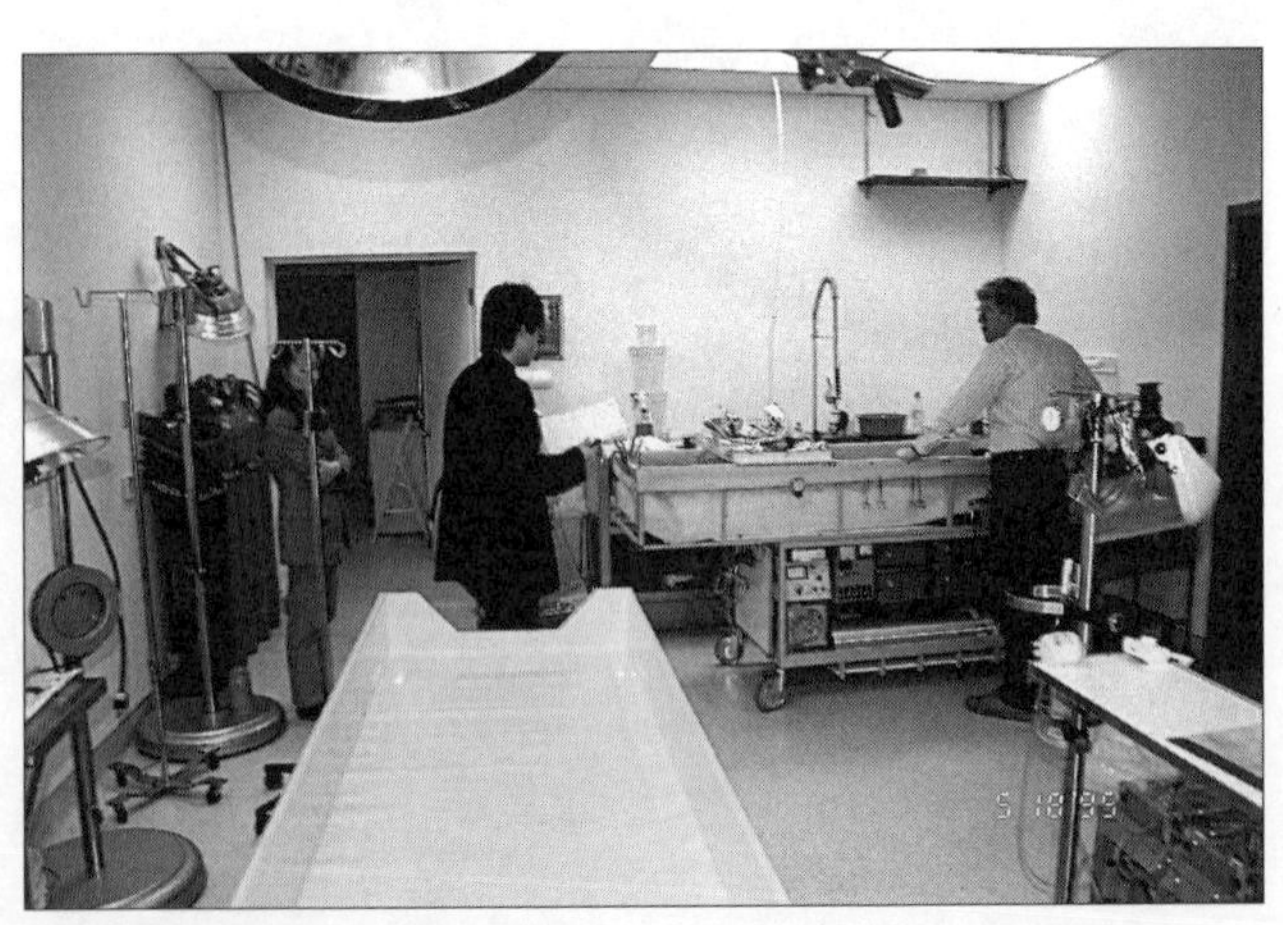

「アルコア延命財団」処置室を取材する筆者。

スイッチを押して冬眠に

――砂川先生は著書『人類冬眠計画』（岩波書店）で、ここまでの研究をまとめられています。マウスの「冬眠スイッチ」といえる神経の発見に至るまでのプロセスはもちろんですが、その発端、研究の動機となった経験の話なども、とても興味深く読ませて頂きました（小児科医師として臨床に携わっていた時、生命の危機に瀕した子供たちを救いたいという思いからこの研究に入られたということ）。人工冬眠というテーマはとてもSF的なのですが、地に足がついた研究を続けられての快挙と思います。

砂川　ありがとうございます。

――人間の冬眠スイッチが発見される。そして人間を冬眠させることが可能になる日が手の届くところに来ていると期待しています。現段階ではどのような研究をなさっていますか。

『人類冬眠計画』（岩波書店）

砂川　マウスで我々が確認したその神経回路、Q神経と名付けたのですが、それは他の多くの哺乳類にも存在すると思われます。人間にも存在するか、その神経をどう刺激すれば冬眠に入るのか、それが現在のテーマです。マウスの場合は遺伝子操作技術でいろいろな個体を作り、実験を繰り返してきましたが、人間の場合はおいそれと遺伝子をいじるわけにはいきませんので、次の段階としてはこの神経に作用する薬品の研究を行っている状況です。

――人工冬眠が実現したら、どんなことができるんでしょうか。

砂川　まず医療において大きなメリットがあります。冬眠状態では、基礎代謝（たいしゃ）が大きく落ちます。身体が活発に動いている時には病気もどんどん広がりますが、冬眠してそれを止めることで、余裕をもって処置ができるようになるわけです。例えばがん細胞はもの

インタビューはオンラインで行われた。

すごい速さで増殖しますから、対処が間に合わないことも多いんです。身体全体を冬眠状態にすることでがん細胞も止めて、その間にしっかり治す。SF映画で、時間を操るヒーローが敵の動きをスローにしてその間に倒してしまう、みたいなシーンがありますけど、そんな治療が可能になります。あるいは人間ドックなどは、冬眠している間に身体をくまなく調べて悪いところを全部治すというような形にできるかもしれません。ただしそこまでは麻酔の延長です。私が理想としているのは、いつでも好きなタイミングで冬眠できるようになることです。

——人任せではなく、自分自身でスイッチを入れると?

砂川　はい、本人の意志で冬眠に入る、それを〝念ずれば冬眠〟能力と呼んでいます。心筋梗塞(こうそく)の胸の痛みを感じたとか、交通事故にあって大量の出血が始まったとか、乗っている船が沈み始めたとか、これはやばい、と思った瞬間、すぐに冬眠状態に入るんです。それで救命率は劇的に上がるはずです。

――例えば薬を持ち歩いていて、いざという時に急いで飲むような方法でしょうか。

砂川　意志によって冬眠スイッチをオンにする装置も開発可能だと思います。イーロン・マスクが設立したベンチャーが脳に埋め込むチップのプロトタイプを発表して話題になりましたね。これに限らず、脳波で機械を操作するシステムはすでに多く提示されていて、例えば脳波で動かすハイテク義手・義足は実用化直前です。人間と機械を直接的につないでいく『攻殻機動隊』の世界はかなり現実化しているわけです。そういう技術を活用して、意志で冬眠に入るようにするということです。お腹が空いた時にものを食べるとか、眠くなった時に寝るとか、そういう行動と同じように。

――冬眠が個人の判断でできるようになったら、深刻な場面だけでなく、カジュアルに冬眠してしまうということも始まるかもしれませんね。暇をもてあましてるから今週は冬眠しておこうとか、仕事がないからコロナ禍がおさまるまで2年ぐらい冬眠するかとか、付き合ってる子との年齢差が大きいから10年ぐらい冬眠して待とう、とか。ただ、そんなふうに誰もが自在に冬眠できるようになった時のことを考えると、いろいろな問題も出てきそうですね。

その日が来る前に

砂川　そうですね。例えば月単位で眠るということが現実化してくるといろいろな問題が出てくると思います。冬眠に入ると、その人はいったん社会的にいなくなる状況になります。ところが死と違い、いつかまた戻ってくる前提なんですね。いなくなった人がまた復活するっていう、人類が今まで経験したことのない事例が出てくるということになります。その間の、生きているわけでも死んでいるわけでもない状態をちゃんと定義しないといけない。倫理面だけでなく、法律で定義する必要があるかもしれません。現行法上で処理するとしたら、いったん死亡したことにして、目覚めた時にまた出生したことにすることになるかもしれませんが、やはりそれは乱暴です。

——例えば冬眠中の資産はその人のものとして維持されるのか。それが通るなら、死にかけた人がずっと冬眠し続けて、相続税をまぬがれるということもあるかもしれません。

砂川 また、冬眠中に記憶が消えたり、人格が変貌（へんぼう）してしまう可能性もないわけではありません。目が覚めて別の人になったとしたら、その人が冬眠前に思い描いていた幸せと、目が覚めてからの幸せとは違うかもしれない。

——なんでオレのことを冬眠させたんだ、といって怒（おこ）る人がいるかもしれません。

砂川 個人の人格の定義をどうするか、というところまで考えておかなくてはならないんです。そういうふうに、安全に冬眠させる技術だけをひたすら研究していればいいというわけではなくて、それが可能になった時にいきなり出てくる倫理問題を並行して考えることが必要です。

——みんなが冬眠したり目覚めたりするようになったら、時間の概念とか年齢の概念とか、個人の社会的な位置づけとか、あらゆることが一気に変化します。SF作家としてはこれはネタの宝庫なんです、すみません不謹慎な発言ですが。

砂川　いえ、渡辺さんのような立場の人が小説などの形で、こんなことが起きるかも、といろいろ提示してくださることで、社会全体で向き合う空気ができると思います。

――真面目な話、ＳＦにはその責任があると強く思っています。先生のような最先端の研究者の方々が、10年後や5年後、もしかしたら明日にでも実現してしまうことで、世の中が大きく変わるかもしれない。そういうことについては、期待だけでなく警告を、しっかりＳＦが先取りしておかないといけないですよね。

砂川　はい、現実の科学がある一線を越える時、例えば〝人間とは何か〟といった根源的な命題は避けて通れません。そういうテーマで考察や議論が進んでいるとありがたいです。ただしSFって、科学ではできないようなことまでをリアルに見せてくれるものですよね。そういう意味では人工冬眠は、もはやSFではない。現実のテーマになっていますね。だから、ＳＦ作家さんというよりはもうちょっとリアルな立ち位置の人たちのお仕事になるかもしれませんね。

——まさにそういうことを今考えているところでした。SF、サイエンス・フィクションというジャンルは、サイエンスといいつつ、例えばタイムマシンとかテレポーテーションのように、非科学的なものを包含しています。そこで今は、サイエンス・フィクションではなく「シム・フィクション」というジャンルが重要なんじゃないかと。最先端の科学者が取り組んでおられることを勉強して、それについて研究者とは別のスタンスから考察を行う。その成果を物語という形で提示する。それは科学への期待を加速すると同時に、警告としても機能するものだと思います。

砂川　シム・フィクションですか。そういう言葉もあるんですね。

——いや、僕が作った言葉なんですけどね（笑）。

人間を変えること

――後天的に〝念ずれば冬眠〟能力を身に付けさせるのとは別の方法になりますが、遺伝子操作で、冬眠できる人間を作るということは可能だと思いますか。

砂川　はい、そういうこともフィクションではなくなると思います。

――氷河期の到来や、致死性ウイルスのパンデミックなど、地球規模の危機が来た時に、人類みんなで1万年くらい眠ってやりすごすという手はアリですよね。そのために何世代かかけて人類を進化させておく、という方法は悪くないと思うんですが。

砂川　ええ、私も遺伝子操作に対しては否定的ではないです。進化を少し加速させるようなことだと思っています。冬眠ができるように人間を変えていくというのはありえる話だと思います。

——それから著書の中で、生まれつき冬眠能力を持ってる人が一定数いるかもしれないと書かれていましたね。

砂川　冬眠能力を遺伝的に持ってる人がいるという説もあります。冬季性うつと言って、冬になると心身の活動が停滞してしまう人がいます。特に北欧には多いそうです。これは冬眠の、つまり寒くなってきたら活動のレベルを下げ食べ物があまり得られなくても生き延びられるような仕組みの、名残（なご）りかもしれないと言われています。

——DNAを検査して、能力を持っている人たちを洗い出しておくことは可能でしょうか。特に処置をしなくても環境の温度を下げさえすれば冬眠に入れる人間だということがわかったら、その人に対する医療の方法は変わると思います。

砂川　冬眠能力の遺伝子が特定されていませんので、遺伝子検査でそういう人を洗い出すことは現段階ではまだ不可能です。ただし、iPS細胞を増殖させて、低温、低酸素といった過酷な環境をくぐらせて生き延びるかどうかを調べることで、その人が冬眠資質を持っているかどうか確認するという方法があります。これには莫大なコストがかかるので、広く多くの人に検査を行うということは難しいのですが。地球が本当にまた氷河期に戻ってしまい、冬眠できないと死ぬ状況になった時にはわかりますね。生き残った人はそういう能力を持っているってことです（笑）。というのは冗談ですが、かつて人類の祖先を含む全ての哺乳類は、その経験をしているはずなんです。氷河期は、冬眠能力を持った個体に有利だったはずですから。

——その能力が今の人類の一部にでも受け継がれているとしたら、種としては氷河期リスクへの備えができているということになりますよね。人類の99%が死に絶えるかもしれませんが、1%でも残れば、1万年ぐらい耐えて氷河期が終わったらそこから復活するということが可能ですから。自然の摂理としてはもしかしたら人類はただ増え続けるのではなく、定期的に激減してはまた復活する、という形が正しいのかもしれません。ただ、人類の一人というより自分一人として言いますと、どうしても死にたくないです（笑）。氷河期が来てもパンデミックが来ても、できればみんなで生き残りたい。自然の摂理に反していたとしても、科学に期待したいです。

ならば宇宙へ

砂川　冬眠中も生命維持のコストはゼロにはならない一方で生産的な活動は全くしないわけですから、それをみんなが自由に行うようになったら、人類全体としてはマイナスになるという意見をもらったこともあります。この技術は人類の首を絞めることになりはしないか、という。それは確かにそうかもしれません。

――うーん、困った。一理あります。一時停止状態の個体の割合が増えるとしたら、限られた資源ということを考えるとそれは大きなリスクとなります。

砂川　そういうことを考えると、地球って人類には狭すぎる気がするんです。冬眠の技術は、多少の時間稼ぎに使うことはできると思いますが、そこだけに固執せずさっさと宇宙に出ていった方がいい、と常日頃思っています。

——定期的に絶滅寸前になるなどの摂理に従うことを拒否するのなら、地球から家出する、宇宙に向かって独り立ちすることを考える必要があるということですね。

砂川　ええ。宇宙は結構広そうなので、なんとかなるかなと思います（笑）。私はサステナビリティー（持続可能性）の考え方には大反対なんです。人類、今までそんなことを考えて発展してきてないじゃないですか。これまでの発展をさらに続けるとなると、答えはもう一つしかないと。

——確かに、サステナビリティーを考えるなら人類なんか滅亡した方がいいってことになりかねないですよね。そこで宇宙に！　となるのは、飛躍しているようですが、よく考えると実に正攻法です。そこでまた冬眠の話になるんですが、SF映画にあるような、すごく長い宇宙旅行の間ずっと冬眠し続けるということも可能になっていくのでしょうか。

砂川　現在研究しているのは人間を凍らせてしまう方法ではなく、あくまでも本来動物として持っていた冬眠能力を使うだけですから、それで何百年何千年持たせるというのは無理だと思います。現在の研究の延長で太陽系の内側くらいまではなんとかなるとは思いますが、その先まで行くとしたら次のブレイクスルーが必要です。

――やはり地球の、自然の摂理を超える必要がある、と。

砂川　そうですね。例えばですが人間の意識を機械に移すという方法が考えられます。意識を機械上へ転移する作業にとても興味があって、実は冬眠の研究に一息ついたらそっちの研究も手掛けてみたいと思っています。

記憶のアップロード

――それはぜひともお願いしたいです。人工冬眠と、意識や記憶の関係もすごく興味深いです。以前、契約者が（法的に）死ぬのを待ってから凍らせて保存する方法で人工冬眠をうたっている施設を見学したこともあるのですが、未来にどんなにすごい技術が実現しても、いったん死んで、意識がリセットされた人間が元通りになるということが、どうしても納得できませんでした。人体を冷凍保存する方法が可能になったとしても、それと同時に記憶維持のサポートは不可欠だと思うんです。もし記憶を外部にセーブできるとしたら、肉体は冷凍するのではなくDNAだけとっておいて、クローン再生して、そこに記憶をダウンロードするというのでも良いと思います。

砂川　DNAからその人と遺伝子的に同じクローン個体を作ることは可能だと思います。ただしそれはせいぜい一卵性双生児と同じもので、本当にその人の復活かというと難しいですよね。セーブしておいた記憶を渡して、これをあなたの脳にダウンロードして本来の自分に戻ってくださいと言われても、納得できるものではないでしょう。

——確かにそうですね。クローンで復活させたり、もしかしたら冷凍後に再生した人間でも、この問題は起きてしまうかもしれません。

砂川　私が考えているのは、記憶を外のメモリーにコピーしていくのではなく、脳細胞をその状態ごと、人工物と置き換えていくやり方です。脳だって分子レベルで考えたらハードウェアなので、それをレプリケートすることは理論上は可能です。例えばマウスの脳細胞を少しずつチップに置き換えていき、最後は全部マシンの、不死のマウスにしてしまう。そういうことができるのではないかと。ここで命とは、自我とは何かという問題を考える必要が出てくるんですけどね。脳をそっくり入れ替えても同じ個体と言えるのか、と。脳細胞は一生を通じてほとんど入れ替わっていないように見えますが、その中の分子は大量に入れ替わっている。物質的には、10年前の自分と今の自分は別の存在といえるわけです。けれど私たちは小さい頃から今に至るまで、自分は自分で変化していないと思っている。同じように、ミクロなレベルでの段階的な入れ替え作業を人工的に行うことができれば、最終的に機械に変わっても自分は自分だと思えるはずなんですよ。そういう方法、機械化して何百年も持つ身体にした方が、凍らせる方法よりも現実的なのではないかと思います。『攻殻機動隊』の〝義体化〟ですね。

――先生のそういう思考の展開がとても面白いです。地に足のついたところから研究を始められ、大きな成果を得てさらに次の一歩を進められた時、そもそも生命って何だろう、自分って何だろう、意識って何だろう、というような哲学的なところに踏み込まれていることが。その場所は、ＳＦと科学の接点ですよね。

砂川　もちろん現実の研究よりＳＦの方が先を行っていると思います（笑）。

――そうであるべきですが（笑）、現実に追い越されてるジャンルがあることも僕は面白いと思います。

＊

人類は人工冬眠というテクノロジーを起点として、その先、不老不死となって宇宙進出を指向する……話を伺いながら僕はあの『2001年宇宙の旅』を思い出していた。

宇宙探査船ディスカバリー号のボーマン船長がHAL9000コンピュータとの戦いの後に接触する「スターチャイルド」。それは人類よりさらにずっと進化した存在だということが暗示された。

生物は進化の果てに、身体を機械と置き換えることにより死を克服する。さらに、その機械を空間に置き換えることにより、永遠を獲得する。その存在がスターチャイルドなのだ、と。

多分ご本人は気づいていないと思うが、砂川先生の言う「脳細胞の置き換え」は、アーサー・C・クラーク（とスタンリー・キューブリック）によるこの思考実験と呼応するのである。

自分の命あるいは自我を空間に置き換えるという発想はいまだサイエンスではなくフィクションの域のものだが、分子レベルでそれを置き換え可能なDNAパターンとしてみることは、すでにごく自然にできると思う。

「人工冬眠している間、あなたに時間は存在しません。あなたは眠りについた次の瞬間には目覚めるんです」

その通り。何万年でも無限でも、自分にとっては一瞬なのである。無限でいいのなら、その期限が永遠の未来なら。遺伝子レベル、さらには分子レベルで自分と全く同じ組み合わせの存在がこの宇宙で再び作り出される可能性はゼロではない。ならば、わざわざ冬眠しなくても、普通に死んで、灰になっても、そんなに気にすることはない。その一瞬後には、僕は目覚めることができるのだから。

この宇宙に遺伝子というものが滅亡せずに続いている状況、つまり生命が滅亡していない状況ならば、個体にとって「死」と「冬眠」はそんなに変わらない。

僕たちは〝念ずれば冬眠〟の能力はまだ持たないが、その代わりに、いつでも死ぬことはできる。種の維持のためには、それが良い方法である状況も、ありえるだろう。

眠る前に考えておくこと

「充分に進歩した技術は、魔法と区別できない」という名言も、アーサー・Ｃ・クラークのものだ。かつてＳＦは遠い未来の絵空事を描くものだった。だがこれからは、科学技術とＳＦは並走しながら、時に競争しながら進歩していくのだ。

ずっと未来のことだと思っていた人工冬眠がもうまもなく実現するとしたら、それは人類にとって少し早すぎるかもしれない。意識の準備は追いついていない。取り扱いを間違えたら、夢だけでなく、多くの悪夢が降り注いでくるだろう。

例えば人生を先送りするために冬眠しようとする人はとても多くなると予想する。本章の冒頭に、不老不死技術が完成するまで冬眠して待つという考えを提示した。これは正しいはずだ。

ただ、ふと考えるのだ。それを願ってあなたが、僕が、そしてあらゆる人々が冬眠してしまったら……一体誰が不老不死技術を完成させるのか⁉

いや別にいいよ、いくらでも待てるから、とあなたは言うかもしれない。

「人工冬眠している間、あなたに時間は存在しません。あなたは眠りについた次の瞬間には目覚めるんです」

……三たびこの言葉を引用する。

眠りについた後、目覚めるその瞬間は1万年後でも10万年後でもいい、あなたはそう思っている。なら、可能性はゼロではないだろう、と。

それはその通りだ。1万年後かもしれないし、10万年後かもしれない。

ならば、永遠にその日が来なくても、いいではないか⁉

第2章

デジタルツイン

都市の双子をつくる。

ナチスの悪行の一つとして「双子の実験」というものが知られている。一卵性双生児の一方にだけ毒物を投与したり傷を負わせたりして、その後の両者の様子を比較するのだ。言うまでもなく許されない行為である。しかし、双子の片方がバーチャルな存在だったらどうか。生きていない、けれどもオリジナルと全く同じデータからなる臓器を持ち代謝系を維持している「デジタルツイン」だったら。その存在に対してはどんな過酷な実験をすることもためらう理由がない。

運動させる、絶食させる、飽食させる、病気に感染させる。そういった様々な刺激の結果としてバーチャル世界のそっくりさんにあらわれる状況は、現実世界の本人にとって、非常に有益な情報となる。このスペックの身体で、どんなことをしたら危険か。どこまでなら平気か。全くリスクを負わずに、知ることができるわけである。

デジタルツインとは、現実の存在を模倣して仮想空間に設置される存在のことだ。これまでは主に製造業の分野で使われてきた概念である。機械や製品のそっくりさんをデジタル空間に作成する。それに対して様々なストレスを与え、耐久性などを予想する。データ処理技術が劇的に向上したことにより近年「都市」をまるごとデジタルツイン化する試みが始まっている。

先駆けはシンガポールだ。都市国家の全体をデジタルツイン化する試み「バーチャル・シンガポール」を、2014年からスタートしている。

全土にわたり地形、植生、気候などを正確に再現した上で、都市内の建物の構造、交通機関の稼働状況、そして国民＝生活者の属性や行動パターンに至るまで詳細なデータをインプットして統合し、3Dモデル化している。

成果物の活用範囲は多岐にわたる。地震や台風などの災害時に、どれくらいの被害が生じるか。具体的にどの建築物が損壊・倒壊するか。死傷者数は。被害金額は。経済に与える影響は。復興に必要な費用と期間は。

特定のウイルスや細菌が侵入した際の感染拡大経路は。消毒・殺菌のため化学物質を散布した場合、その効果は、あるいは人間への悪影響は。様々なシミュレーションが可能になるわけである。

もちろん将来に向けての都市計画立案でもこのシステムは活用される。例えば高層ビルを建築すると、完成後に人や車両の流れはどう変化するか。経済効果は。エネルギー消費は。……多方面への影響を複合的に試算した上で計画を最適化することができるのだ。

日本でも2020年度から、国土交通省の旗振りのもと全国56都市のデジタルツイン化を進める「PLATEAU（プラトー）」プロジェクトがスタートした。

東京都は、「PLATEAU」と連携しつつ独自の「デジタルツイン実現プロジェクト」を進行している。東京都の各種データを仮想空間上に積み上げて「もう一つの東京」を創生する試みである。

関東にまた大地震が起きたら、東京はどうなるのか。新宿の高層ビル街は。渋谷や秋葉原の繁華街は。下町の住宅街は。あるいは僕が住んでる中野ブロードウェイは。

とても気になる。けれど、ためしにちょっと揺らしてみようか、というわけにはいかない。

かの星新一（ほししんいち）はかつて「東京に原爆を！」と題したエッセイ（『きまぐれ暦』所収／新潮文庫）で、とんでもなく大胆な提言を行っている。

大地震がいつ来るかいつ来るかとびくびくしているより、原爆を東京の地下で爆発させ、人工大地震を発生させてしまおう、というものだ。

「迫りくる天災の先手を打って、われわれのほうで先取りしてしまおうというのである」

……ちゃんと日時は予定されるわけだから住民はあらかじめ準備、避難できる。地震の後、倒壊した建物は土地とともに国家が買い上げる。もちろん家を失った人は気の毒だが、自然の地震だったら死んでいたのである。その後の東京では、倒壊の危険のある建物は全て建て直されているか、補強がなされている。住民は安心に暮らすことができる。

……と、そんな内容。1970年に書かれた文章だが、今読んでも驚愕するほど新しい発想は、さすが御大である。

もちろんこれは星さんお得意のユーモアに満ちた思考実験の一つであり、実現は不可能なこと。

……では、ないかもしれない。人間の双子実験と同様、このアイデアも現実ではなくバーチャルでなら、デジタルツインの東京でなら、可能ではないか。

それが今、実現しつつあるのだ。

「東京都デジタルツイン実現プロジェクト」公式サイト

都庁の24階に、東京都デジタルツイン実現プロジェクトを担当する「デジタルサービス局」という部署が設けられている。ここを訪ね、同局デジタルサービス推進部オープンデータ推進担当課長の元島大輔さんと戦略部デジタルシフト推進担当課長の清水直哉さんに話を伺った。

（取材・2022年4月13日）

メタバースではなく「デジタルツイン」

——まず、このプロジェクトの概要を教えてください。

元島　東京という現実の空間をデジタル上に再現するものです。地形や風景の3Dデータの上に、都内各地に設置されたカメラやセンサーなどで捉えた実データを入力していきます。もちろん3Dのサイバー空間としてVR体験もできますが、いわゆるメタバース

「東京都デジタルツイン実現プロジェクト」公式サイト
3D ビューアページ

とは明確に違います。メタバースはリアルに縛られないもので、中に入り込んで楽しんだり働いたりすることを目的に作られています。そのために現実を変容させて作っていくこともよくあるわけですね。それに対してこの空間は、現実の街をよりよくするために使う、システムの集合体です。できる限り正確なコピーを目指していくことになります。だから双子（ツイン）なんです。

――すでに公式ウェブサイトでは制作中のデジタルマップが公開されていますね。実際に操作していろいろなデータをマップ上に立体的に呼び出すことができる状態になっています。完成はいつ頃になりそうですか。

災害時における避難経路のガイダンスを 3D ビューアで見る。（2021 年度実証）

清水　2030年をとりあえずの指標としています。その時点で第1段階のデジタルツインが完成して、防災、まちづくり、モビリティなど各領域で活用されている状況を想定しています。完成と言っても、イメージとしては、様々なデータが常に更新されている動的な状態です。

――固定された完成形を提供する、というわけではないのが面白いです。

元島　2030年にできあがってはいおしまい、ではないんです。その段階ではデータがリアルタイムで流し込まれて、変化し続

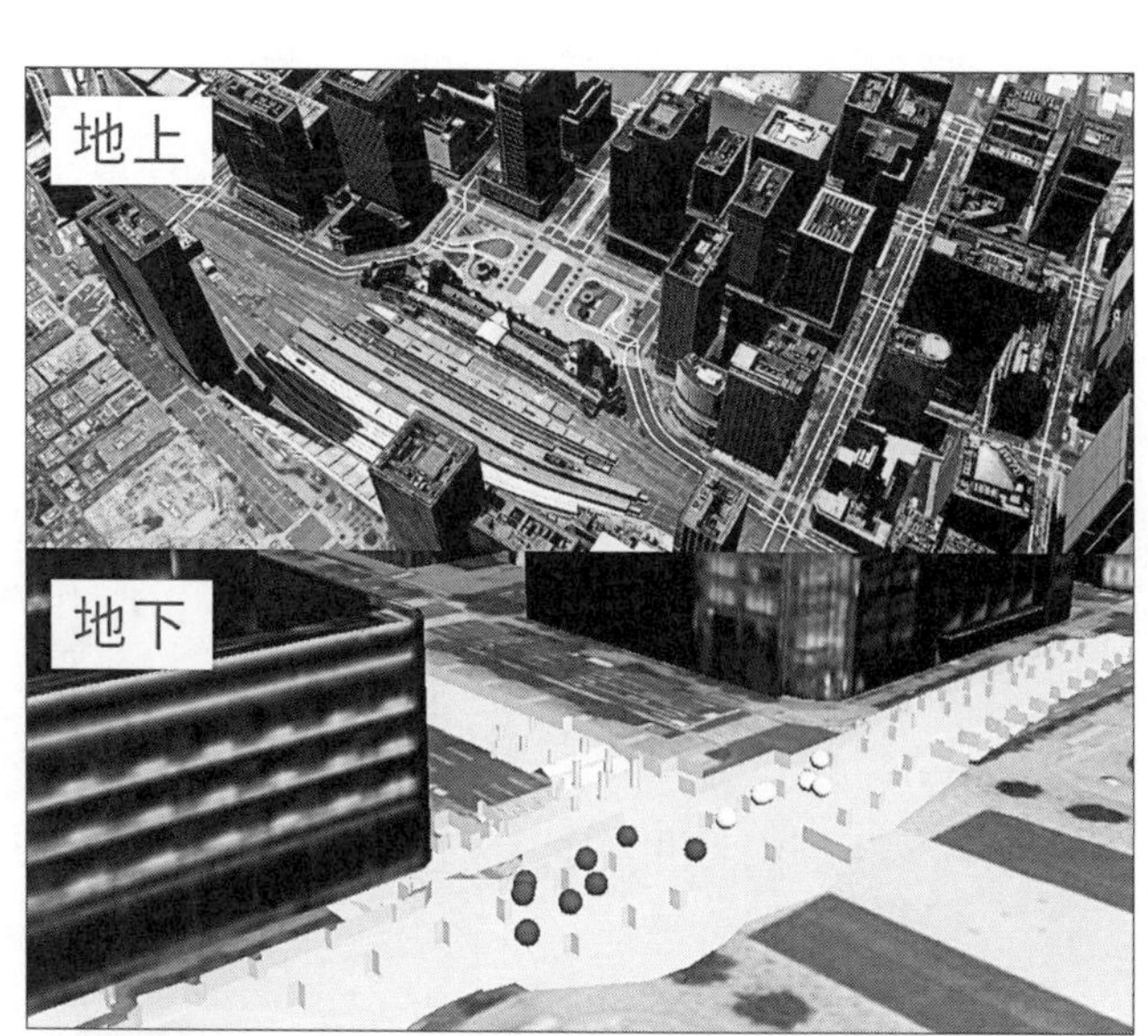

地上・地下の混雑度を3Dビューアで見る。（2021年度実証）

けている状態こそが大切なんですね。それを実現させるには、技術的な作業を進めるだけでなく、都庁をあげての連携体制を作ることが不可欠だと思っています。

――一部署の仕事にとどまらない壮大なプロジェクトじゃないですか。

清水　はい。先ほどから〝データを入力していく〟と説明していますが、一口でそう言っても簡単なことではありません。もともと役所のシステムは縦割りで、それぞれ担当部署が管轄（かんかつ）のデータをがっちり管理しているわけです。このマップを作っていくためにはそれらを共有させてもらう必要がある。今のところはとても順調で、データの提供についても、システムの活用についても、各セクションから積極的な協力体制をもらっています。

――このプロジェクトを進めていくことが、都政のシステム自体を変化させていくかもしれませんね。

元島　それが理想ですね。デジタル技術を駆使してビジネスを変革させていく〝DX化〟は、役所にとっても差し迫ったテーマなんです。例えば紙をなくそう、というようなスローガンがよく掲げられますが、その目的は、単に手間を減らして仕事の効率化を図ることだけではないんですね。データは〝現代の石油〟と言われたりします。資料を紙ベースで保管せずにデータ化すれば、それは以後、様々に加工して多方面で使えるものになります。

街のデータを重ね合わせていく

――具体的にはどういうことでしょうか。

清水　データを重ねることで新しいことがわかってくるんです。例えば現在、東京の河川を管轄しているのは建設局というセクションです。港を管轄しているのは港湾局です。地下を流れる水は水道局や下水道局が管理していたりもする。それぞれで監視カメラなどを設置して常に多くのデータは集めていますが、それらはこれまで別々に管理されていたわけですね。それをこの一つのマップ上に重ねることで、東京都全体の水の状況がわかるようになるわけです。大雨の時の増水が各所でどのように影響するか、その時の対応や避難はどう行うべきか、など、より正確に適切に判断できるようになるということです。

――バタフライエフェクトとまではいかなくても、全く関係のないような事象が影響しあっていることがいろいろ発見されるかもしれませんね。今後はそうした〝重ね合わせの妙〟を探していくんですね？

神田川の河川監視カメラを見る。

元島　それを行う主役は、我々ではないんです。

――というのは。

元島　実際にサイト上で操作してみてもらえるとわかると思いますが、そもそもこのマップは、どのデータをどう表示するか、決まっていません。操作する人が自由に選べるようになっています。我々がやっているのは、できる限りの情報を集め、呼び出せる状態に設定するところまでなんです。そこからどの情報を取り出すか、どう活用するかは使う人それぞれで決めてもらう、そんなインターフェイスになっています。そこがグーグルやヤフーのような私企業が展開しているデジタルマップとの大きな違いです。

奥多摩町の避難所を見る。

清水　東京都が公開しているオープンデータは5万件を超えており、デジタルツイン上で取り扱うデータは徐々に増えています。複数のデータをチョイスして組み合わせ、その先の条件を与えていく、その作業には無限のパターンが存在するわけです。これとこれを関連させたらどういう化学反応が起きるか、どのようなものが見えてくるのか。そういうことを、多くの方々に試してほしいんです。

――なるほど、確かにここにある膨大なデータは、ある種のマニアにとっては宝の山です。今後これを使って様々な立場の人、様々な知識やアイデアを持った人が、それぞれの観点からシミュレーションを行っていくことで、誰も想像しなかったようなことが続々と発見されそうです。

生き物のように成長していく地図

元島　現実の状態をできるだけ正確にデータ化していくという作業には、現実のアーカイブを残すという意義もあります。２０２１年７月に起きた熱海(あたみ)市伊豆山(いずさん)地区の土砂災害の事例ですが、静岡県が事前に、現場を含む伊豆半島全体の詳細な３Ｄデータを確保していました。そのデータと、土石流が起きてしまった後の地形データを比較することで、土地がどこを起点としてどのように崩れて流れていったか、詳細に把握することができたわけです。原因が盛土であったのではという推察は、発生後24時間以内に判明しました。３Ｄのデータが整備されていることで、災害の予測だけでなく、災害後の早期対応もできるということです。

――そういうデータを準備している自治体はもうあるのですね。

元島　静岡県は富士山噴火のリスクもありますので、かなり先進的ですね。東京都でもこれにならって、全域のデータ化を進めています。３Ｄ点群データについては２０２３年度中にはほぼ全域分を取得できる予定です。

清水　空間のアーカイブ化は、災害対応だけでなく、惜しまれつつ取り壊される建物や庭園を、別の形で残しておくことにもなります。最近では中銀（なかぎん）カプセルタワービルの３Ｄデータ化が話題になりましたね。

——僕は中野ブロードウェイという築55年超のマンションに住んでいるのですが、ここも今のうちにデータ化しておいてほしいですね（笑）。

清水　昭和期に造られたビルや商店街に思い入れのある人は多いですよね。建物や庭園あるいは町並みの、独特な雰囲気までを残せるのは、３Ｄマップならではの魅力です。

——公式サイトではマップのメイキングというか、データ取得作業の様子も見ることができます。都が発注した業者が三脚を立てて測量しているようなプロの仕事風景もありますが、一般の人々がスマホのLiDAR機能などを使って風景を3Dスキャンしたデータも取り込んでいるんですね。

元島　そうです。我々が作成したデータと一般の方々のデータを重ね合わせることも簡単にできるようになっています。上野恩賜公園を見てください。ベースは専用の測量システムを使って作ったものですが、例えばこの小さな看板のデータはスマホでスキャンしたものを後から追加したものです。

――小回りの利く一般の方々が、地元の身近な場所でそれぞれの思い入れのあるものを投

丸の内仲通りの歩行者数を計測。
（2021年度実証）

稿してくれるとデータの価値は上がっていきますね。

元島　そうやって地図がどんどん細かくなっていく、その場所を利用される方々にとってどんどん便利なものになっていく、というのが理想なんですね。例えば通路の細かい段差とか、多目的トイレの設備など、利用者が必要と思うところを必要なだけ細かく入力することで、施設ごとのバリアフリーのレベルがリアルにわかるようになります。

清水　２０２１年度公開したエリアについては、自分の車椅子で入っていくことは可能か、通行が難しい場合には別のコースを選べるか、などをあらかじめ調べることができてとても助かるという声も頂きました。

——つまりこのデジタルツインは、いったん走り出したらユーザーの力を取り込んで、もしかしたら開発者の思いもよらぬ方向にリアルになっていくかもしれないということで

参加型実証。看板のデータを一般参加者がスマホでスキャン。

すね。マップが生き物のように成長していく様子を誰でもいつでも確認できるわけです。とても楽しみですね。

清水　もう一点、住民の力に期待しているのが、こまめな更新ということです。街は常に変化していくものです。それを一番知っているのはそこに暮らしている人々なんですね。変化したところを素早くアップデートして頂けるようになると素晴らしいな、と。

ゲームになっていく？

——自分の書き込みでバーチャル世界の街が進化し

ベースのデータに、スマホで取得したデータを重ね合わせる。

ていくなら、ゲーム感覚で参加する人も多いんじゃないでしょうか。いっそのこと、このデータを使って本当にゲームを作ったら楽しそう、なんてことも妄想してしまうんですが。

スマートフォンによる点群取得

取得

取得した点群

重畳

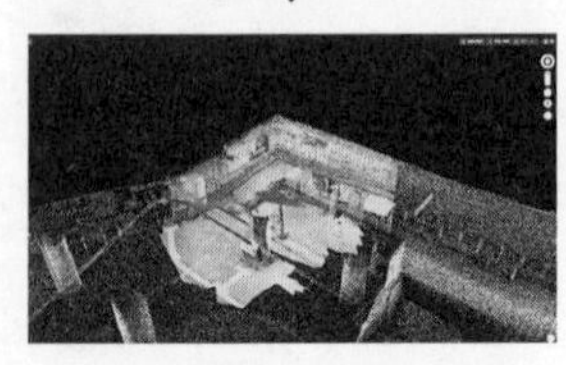

ベース点群への重ね合わせ

スマートフォンによる点群データ取得。

清水　もちろんそういうことも可能です。一部を除き、データはオープン化されています。オープンデータは二次利用フリーなので、ぜひご自由にお使いください。

――いいんですか！

清水　オープンデータはむしろどんどん使って頂きたいというスタンスです。そのために、例えばUnityやUnreal Engineといったポピュラーなゲームエンジンには、スムーズに流し込めるように整備したいとも考えています。

——リアルな東京を舞台にしたゲームが次々と作られるかもしれないですね。それが世界のゲーマーにプレイされると考えると、とても楽しいです。

（このデータを使ってどんなことができるか考えれば考えるほどワクワクしていたのは筆者だけではなかった。実はこの取材には星海社の編集者の太田克史さんと守屋和樹さんも同席していたのだが、このあたりから二人も話に加わって、どんどん盛り上がっていく……）

太田　ゲーム、いいですね！　リアルな東京を舞台にした〝バトル・ロワイアル〟がやりたいです。新宿御苑（ぎょえん）とか上野公園のように限定した範囲で遊ぶものならすぐに実現できるでしょうし。

元島　上野公園については東京都と大学との共同事業によっていち早く全域のデータが揃ったんです。例えば東京藝術大学から『デジタル上野の杜（もり）』として公開されています。

太田　（PC上の3D空間を見ながら）これはすぐにでもゲームにできるクオリティーですね。上野には美術館や博物館、動物園もありますし、ゲーム要素には事欠かないですよね。こういうところから始めて、いつかは東京全域を舞台にすることもできると思います。東京全土で、最後まで生き残るのは誰だ、というイベント、これかなり熱いはずです（笑）。それから、〝宝探しゲーム〟もやりたいですね。空間

「デジタル上野の杜」の公開コンテンツから。

に謎をたくさんしかけておく。それを解き進めると最終的にはどこかに隠されている宝物が見つかるというものです。脱出ゲームや謎解きゲームは昔から好きなんですが、現実の街を舞台にして行おうとするといろいろ制約が出てくるんです。バーチャルの空間でなら問題ないですよね。

――公開データを活用してゲームを作り始めるクリエーター、すぐにでも出てきそうですね。

元島　それから街の３Ｄデータはａｒ、拡張現実としても呼び出し可能です。

――あっ。それでまたアイデアが広がりそうです。現実の風景と、その場所の疑似現実を重ね合わせながらプレイするようなゲームも可能ですね。現実の東京を歩き回りたいというニーズも引き出せそうです。

守屋　アバターというかマイキャラクターの目線は自在に設定できるわけですから、この

３Ｄの街は、子供の背丈で歩くこともできますよね。逆に子供が大人の背丈になって歩くことも。

――なるほど、別の視点で街を見直したら、新鮮な発見があるかもしれない。それだけでもゲームになりそうです。

タイムトラベルできる街

守屋　そして未来の人たちは少なくとも現在、２０２２年の東京はかなりリアルに体験できるわけですよね。つまり、時間移動して過去の街を歩くこともできる。

元島　２０２２年以前の東京を、そこに行ける３Ｄ空間

スマホにAR情報を呼び出しているところ。

にすることも可能です。別アングルで撮られた複数枚の写真を組み合わせて3D空間を再現する技術があります。住民の皆さんから昔の写真をたくさん提供してもらえたら、それを組み合わせて、様々なエリアを再現していくことができるかもしれません。おじいさんやおばあさんのアルバムを見直してもらって、懐かしい界隈の写真があったらどんどん投稿してもらう。それをこちらで3D化していく、というようなことができれば楽しいですね。

――自分の写真を提供することで、自分のいた過去のシーンが3D空間化されるとなればとても嬉しいはずです。あるいは、全く知らない人の写真のおかげで、自分の戻りたかった空間を体験できるようになる、とか。おじいさんとおばあさんが初めて出会った時刻と場所はわかっていても、写真は撮っていなかった。ところがその時たまたま同じ場所にいた人が撮影していて、その空間が再現されていた……そんな夢のあるシチュエーションも、ありえるわけです。

元島　そういうことが人の縁のきっかけになる可能性がありますね。

太田　大勢の人々の秘蔵写真で、記憶の中にしか残っていない街の風景が再現されていくといいなあ。僕は１９９０年代はじめくらいまでの新宿南口の、小さなお店がごちゃごちゃと固まっていた雰囲気がとても好きだったんですが、いつのまにかすっかりきれいになってしまっていて、ちょっと残念なんです。あるいはバスケットコートがあった頃の秋葉原とか、戻ってみたい場所は都内にたくさんあります。当時の写真を持っている人がいればある程度は再現可能なわけですよね。

――バブル時代の六本木とか、コギャル全盛期の渋谷とか、もう一度味わいたい街空間ってありますよね。

太田　いろいろな時代のマップができていったら、それを使ってさらに斬新な遊びができそうです。例えば、文学散歩なんかどうでしょう。

――なるほど！　夏目漱石（なつめそうせき）が愛した街とか、太宰治（だざいおさむ）が歩いた道とか。

太田　そう。それだけではなくて、具体的な作品の中の東京も味わえますね。登場人物が歩いた道をそのままの立体空間として追体験する、というコンテンツが作れるはずです。例えば村上春樹(むらかみはるき)さんの『ノルウェイの森』で、主人公が恋人と四谷(よつや)の土手を延々と歩くシーンがあります。あの道なら当時の写真がたくさん残っていると思います。

――確かにあの土手だったら、多くの人が自分の思い出も付随した写真を持っていそうですね。提供者は文学作品に個人的な記憶も上乗せして感慨ひとしおかと。

太田　神社の石柱や鳥居に、その建築時に寄進した人たちの名前が記されていたりします。そんなふうに、マップの素材データの提供者の名前を残すのはどうでしょう。

元島　はい、そういう仕組みも用意しています。個人から頂いたデータをアップロードしているページには、提供者名が入るようになっています。

太田　それは永遠に残るステイタスになると思います。おじいさんが、これはわしが撮った写真からできた空間なんじゃ、と自慢しながら、孫を連れて行って案内する、なんてことも想像できますね。みんなで写真を持ち寄ろう、みんなの記憶を立体空間にしよう、みたいなキャンペーンをやったら、きっと盛り上がります！

――1990年のクリスマスの夜に渋谷にいた人、写真ください、みんなであの空間を再現して、一緒に入ってまた遊びましょう！……とか、そんなイベントができるかもですね。

太田　小学校の卒業式の日にはみんなでスマホを持って、その日の校内をすみからすみまで撮る、なんて

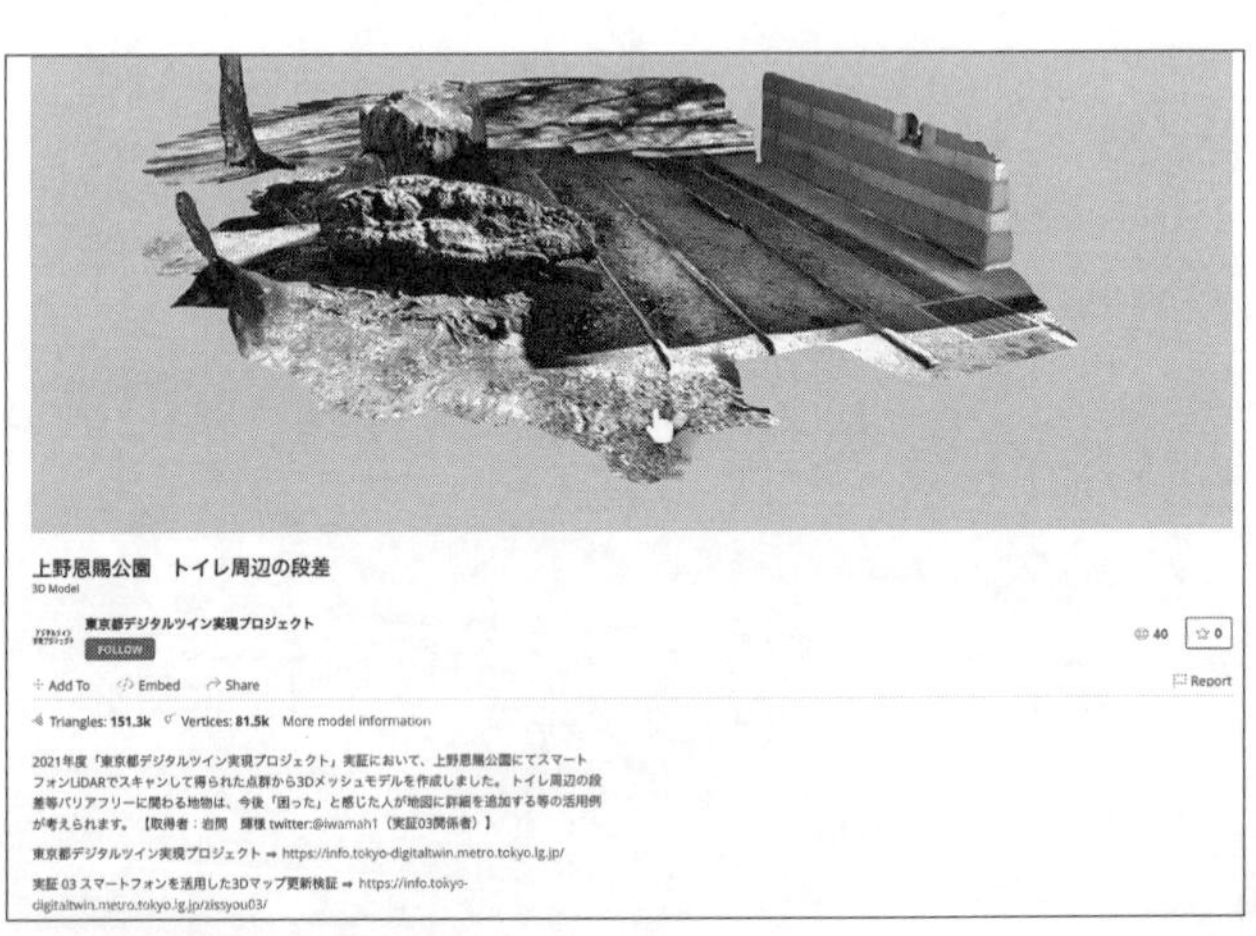

公開ページでは取得者の名前が記録されている。

どうでしょう。その子たちは大人になってから、その空間に戻ることができるようになります。

——僕は、小学校の図書室に戻りたいと夢想することがよくあります。夕日が差し込む木造校舎の中で、ずらりと並んだ本の背表紙だけでも眺められたら、100万円くらいは払っても惜しくないと思うんです（笑）。写真だけでも撮っておけばよかったな、と。

太田　運動部の部室もいいですよね。

元島　VR同窓会ができますね。今まで夢だった、青春時代に戻るということが、実現するわけです。

——すごく文学的な想像が広がります。ここが都庁で、役所で、最先端の技術を活用した仕事についてインタビューしていることを、つい忘れそうになります（笑）。さて最後に、デジタルツイン都市には、「人間」はどのようなデータとして入力されているのですか。

（この質問はさりげなく言ったつもりだったが、お二人の表情が引き締まった。この問題について、すでに部署内で真剣に議論を重ねてきたことが窺（うかが）われた……実はそうであることを、僕は期待していた）

元島　個人を特定したデータの入力は、行っていません。民主主義の国においてそれは非常に難しいことです。もちろん都市の活動において人間一人ひとりのバックグラウンドや行動パターンは重要なファクターですが、個人情報を守ることは何より優先させなければなりません。そこに踏み入らないようにしながらデータを充実させていく方法はあるはずです。この点は特に注意深くこれから進めていくことになるでしょう。

＊

都市をビッグデータ化していくプロジェクトを、例えば中国は過激に行っている。かの国はそこで、人間までをもデータ化している。国民一人ひとりの属性や行動パターンを数値としてコンピュータに入力し、順位づけし、統合しようとしている。

その是非は別として、少なくとも東京都がそういう未来に進まないことは明確だ。

自然、産業、交通、など、あらゆる情報を集めて入力していくデジタルツイン戦略において、東京都の取り組みとして特徴的なところは、全ての住民の参加を積極的に受け入れようとしているところだ。また成果はどの組織に独占されることもなく、リアルタイムで全て公開される。その活用も、全ての住民の手に委ねられる。

そのスタンスには深い意味があるのだ。現実をデジタル化する。ビッグデータを召喚する。しかしそこにビッグブラザーが出現する可能性は回避する。それが非常に重要なことなのである。

東京都が完成を目指すこのデジタルツイン、もう一つの東京には、誰でも住むことができるのだ。

この記事を読んで少しでも感じるところがあったら、「東京都デジタルツイン実現プロジェクト」のウェブサイトに行って、膨大な公開情報を、気の赴（おもむ）くままに読み漁ってみてほしい。

データの集積が、ダイヤモンドの鉱山に見えるかもしれない。そこから新しいアイデアが湧いてくるかもしれない。
それはあなたにとって、東京にとって、大きな資産になっていくものだと思う。

beyond the future

その先の未来

極私的楽園へ

生活空間をデジタルツインとしてバックアップしていく試みは、加速度的に……多くの人々が予想するよりずっと速く、進むと思う。一般の人々の、その手の中のスマートフォンからそれが行えるようになったからだ。これからは誰もが自分の周囲の風景を、あるいは思い出の光景を、憧れの情景を、アップロードしていく。重要なことは、一つの街が一つだけバックアップされるというわけではないということだ。特定の時刻やイベントごとに、別々の世界ができていく。入力者の思い出の数だけ、立体空間が完成していくのだ。

例えば大正時代の浅草。昭和時代の銀座。様々な物語の舞台となった街並み。

例えばコギャルが闊歩する渋谷。ＰＣパーツショップが立ち並ぶ秋葉原。誰かが熱い日々を謳歌した場所。

あなたはそのどれにでも、いつでも行くことができるようになる。望むならそこに居続けることも。

自分自身の思い出の中から、最も良かったと思える時間と場所に戻って、そこでずっと暮らしたい。そんなことを考えるかもしれない。

故郷の田園風景かもしれない。青春時代を過ごした盛り場かもしれない。

あなたはその懐かしい空間に降り立ち、歩き回る。それは素敵な体験だろう。

そしていつかそこで自分自身の姿を発見するだろう。その当時の、若かりし日のあなた自身を。

……あるいはそれは、その幸せな時間に引きこもって暮らし続けている、老後のあなたかもしれない。

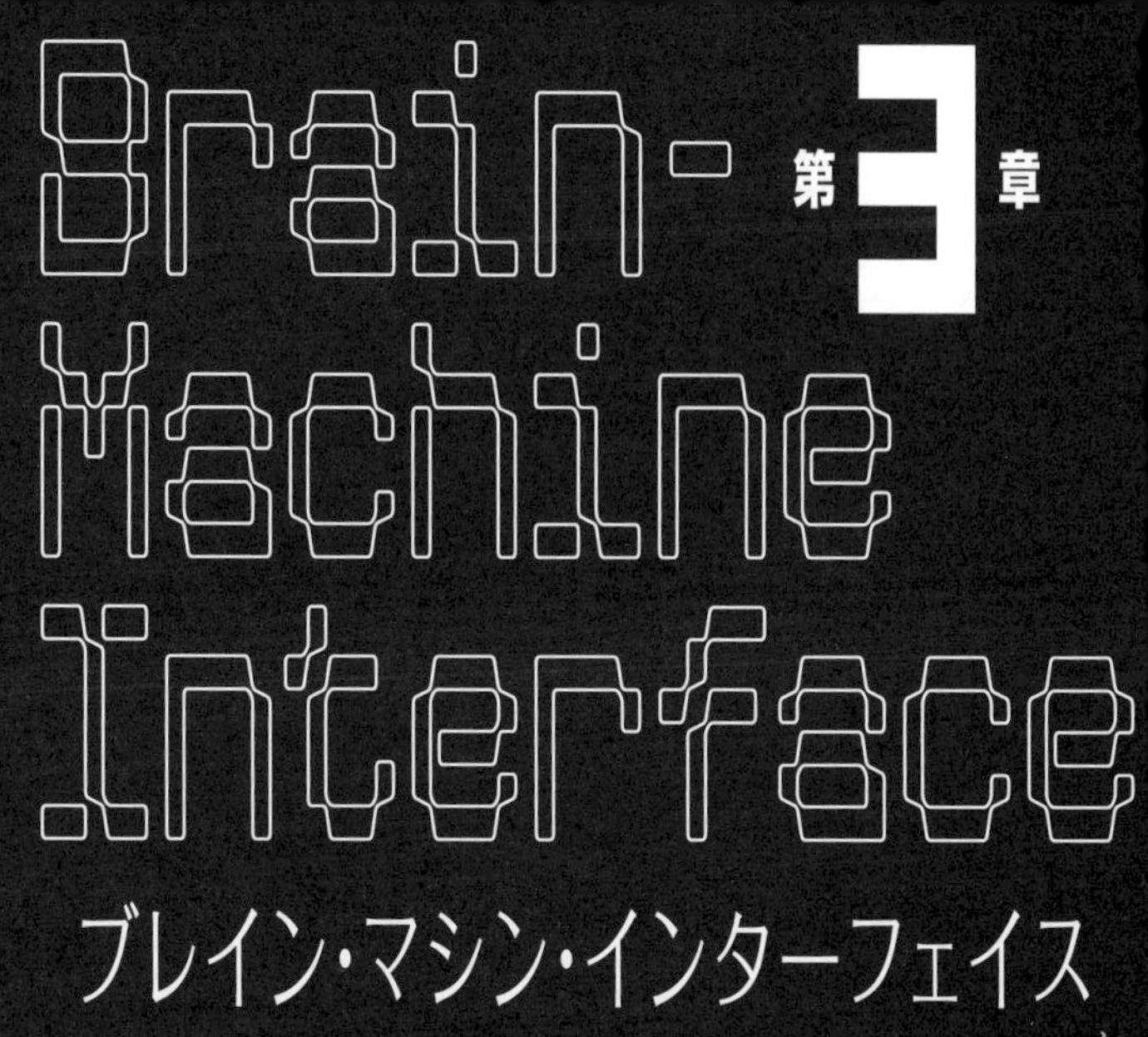

ブレイン・マシン・インターフェイス

脳をスマホで覗いてみよう。

脳波をリアルタイムで正確に取り出すことができれば、手や声を使わずに、思考だけで様々なマシンを操作することができるようになる。これがブレイン・マシン・インターフェイスである。これに対応したゲームの開発も各所で始まっている。その最先端は、どんなことになっているのか。

当初の取材目的はそこだった。エンターテインメントの未来系として、プレイヤーが「考える」だけで操作できるゲームに興味があった。

株式会社ハコスコは、事業内容に〝ブレインテック〟というワードを掲げ、その種の製品を多く取り扱っているテクノロジー系ベンチャーである。問い合わせてみると、『フォーカスカーム（FocusCalm）』という製品を薦めてくれた。低価格高性能の一般ユーザー向け脳波デバイスである。すでにAmazonなどで購入できる。

脳波を感知するヘッドバンドとスマホ対応アプリのセットだ。アプリには、脳波でプレイするゲームも含まれている。

早速試してみると……予想を良い方向に裏切られた。脳波ゲームは

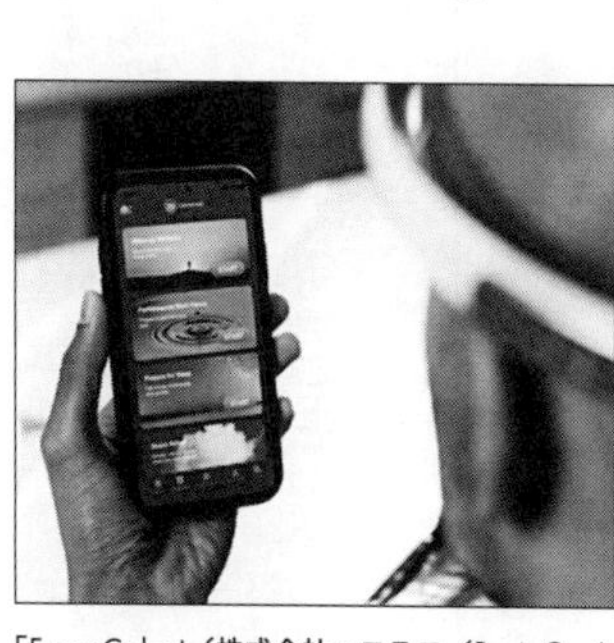

「FocusCalm」（株式会社ハコスコ／BrainCo, Inc.）

確かに面白かったが、それよりはるかに興味深いものが、ここに生まれていた。予定を変更して、ゲームよりそっちをメインに紹介しようと思う。脳波デバイスが使えるなら、ゲームなんておまけみたいなものだ。

（取材・2022年4月23日〜5月23日）

自分の「気分」を客観視する

とてもシンプルなシステムである。100グラム余りという超軽量ヘッドバンドが一つ。あとはスマホにアプリをダウンロードするだけだ。

このヘッドバンドが実は最先端の精密機器だった。その内側、額に接する部分に電極があり、そこで脳波が感知されスマホに送られる。

脳波は0〜100のスコアとして表示される。この数値は、脳の「集中＋リラックス」

の度合いらしい。

集中するのは良いことだが、それが過ぎてイライラしてしまったら逆効果だ。リラックスしても、ただぼんやりしているのでは無意味だ。商品名になっているフォーカス（集中）とカーム（落ち着き）が両立することに意味がある。スポーツ選手がよく言う「ゾーンに入った」状態だ。

このツールの主目的は、体験者をその状態に導くことだ。

今この瞬間の自分を外側から客観視する。自分の知らない自分を知る。さらにそれを自分でコントロールする。この行為を「ニューロフィードバック」というらしい。

刻一刻と変化し続ける数字を見ていると、この数字の意味が、そして「ゾーンに入る」というのがどういうことか、感覚的に理解できてくる。なにしろそれが自分そのものなのだ。

落ち着くと数字が上がる。心が乱れると下がる。頭ではわかっているのだが、なかなかうまくいかない。落ち着こうと、集中しようとがんばるほど、スコアは下がっていく。がんばる、ということがすでにリラックスとは対極のことらしい。

ところが諦めた瞬間、数字がひゅんと上がったりする。うーむ……。

自分のものなのに思うままにはできないのが「心」だ。大事な場面でここは落ち着かなきゃと思えば思うほどドキドキしてしまう、そういう経験は誰にでもあると思う。

逆に考えると、自由自在に心をコントロールできるようになれば、ずいぶん生きやすいはずだ。ここぞという時にも上がったりせず、アクシデントがあっても慌てたりしなければ、いつでもベストなパフォーマンスが発揮できる。

このツールで、そのトレーニングができるわけである。それは鏡を見ながらいろいろな表情を試してみるような感覚だ。

アメリカではすでに多くのオリンピック選手やプロ野球選手がこれを使い、効果を上げている。スポーツも実はとてもメンタルな行為なのである。


ただ数字を見つめているだけでも面白いのだが、『フォーカスカーム』のアプリには多くのレッスンモードがあり、ニューロフィードバックのコツを段階的に学習することができるようになっている。

美しい風景の動画。そして、

「南の島の海辺に寝そべる自分をイメージしてください」

といったナレーションが流れ始める。アドバイスに従ってイメージを作り、姿勢、呼吸などを整えていく。

これを使えば初心者でもわりと簡単にゾーンに入ることができる。『フォーカスカーム』を持ち歩いて、大事な仕事や試合の前に強制的に脳波を上げてもいいと思う。

映像や音響に脳がかなり影響を受けることもビジュアルとしてはっきりとわかる。脳波デバイスからの情報に応じて周囲の環境を自動的に制御するシステムはすぐ実現するのではないだろうか。例えば部屋の主が落ち着いていない脳波を出している時は自動的に心を鎮(しず)める音楽が流れたり、照明も柔らかくなったり。

ゾーン＝集中＋リラックスの状態に入る練習だけでなく、

「ストレスを解消したい」

「すぐに眠りたい」

動画によるレッスンモードの画面。

100
Relaxed
65
Neutral
35
Active
0s 1m37s 3m14s 4m51s 6m28s

レッスンモードのリザルト画面。グラフ中、濃いグレーの部分が「ゾーン」に入ったところ。

「スポーツ競技の前に気分を上げたい」

など、他にも様々なメニューが用意されている。TPOに応じて、服やメイクを変えるように脳の状態も変える、そういうことも普通になっていくかもしれない。

ある程度トレーニングをつんだら、いよいよ脳波ゲームに挑戦だ。

レバーやボタンを動かすのではなく、脳波を変化させることによって操作するゲームが、いろいろ搭載されている。リラックスすればするほどレーシングカーが加速していったり、炎が燃え上がっていったり。どれもとてもシンプルでわかりやすい。

脳波でぬり絵を完成させるゲームもあった。良い脳波を出すとすいすいと色が現れる。美しい絵ができていくのを見ていること自体がとても気持ちいいから、絵ができればできるほど脳波も良くなっていく。好循環（こうじゅんかん）で、加速していくわけだ。

ゲームは楽しかった。しかも繰り返しプレイしているうちに、自分

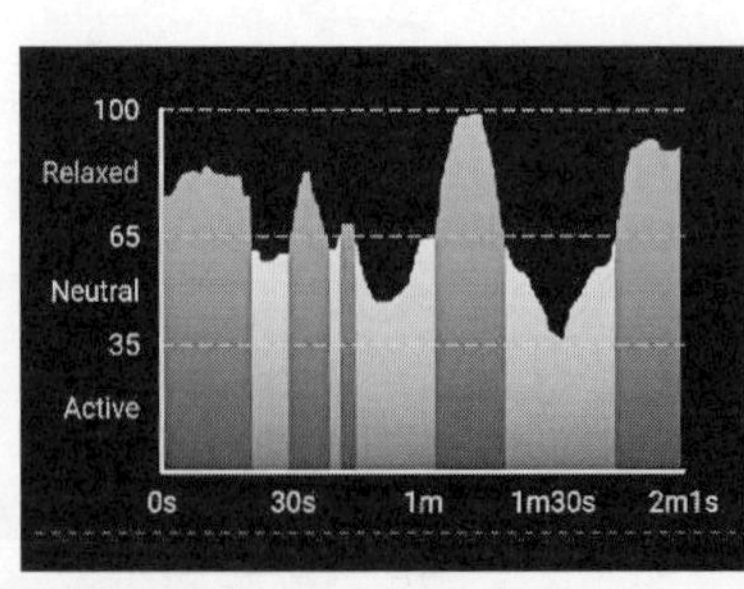

レースゲームのリザルト。ゲームに集中できているところはゾーンに入っている。

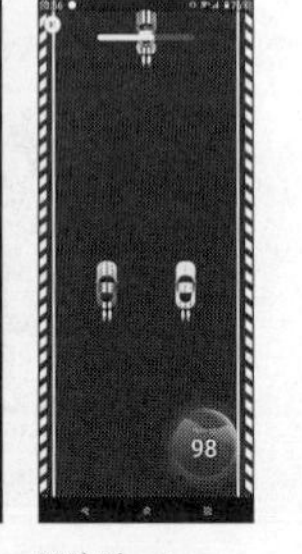

脳波ゲーム。シンプルなレースゲームだ。

の脳が「良い状態」になっているとはどういうことか、だんだんわかってきた。

やがて、動画を見たりゲームをプレイしたりしなくてもその状態に入ることができるようになってきた。

その方法は人それぞれだと思うが、僕の場合は、大好きな映画のとあるワンシーンを思い浮かべることで、かなりの確率でそうなると気づいた。

具体的には『ナック』という映画で若者たちがベッドで街を疾走（しっそう）するシーンなのだけど、ここで詳しく説明する意味はないだろう。僕以外の人間には有効ではないから。

自分の「スイッチ」は、自分で探すしかない。好きな歌の特定の一節を口ずさむとか、愛する人の顔を思い浮かべるとか、きっと何かあると思う。

見つかったら、これから大事な時、リラックスしたい時、その方法を使えばいいのだ。

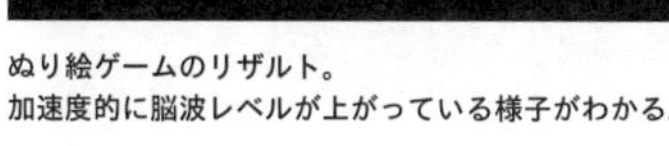

ぬり絵ゲームのリザルト。
加速度的に脳波レベルが上がっている様子がわかる。

脳波によるぬり絵ゲーム。

ウィズ脳波の生活とは

そして、レッスンモードやゲームモードより、ずっと面白いものを発見した。

「Tracker」……トラッキングモードだ。

脳波の数値の移り変わりを、スマホの中に記録保存しておくことができる。これはアスリートやそのコーチのために設置されたモードらしい。体の動きをビデオで記録するのと同じように脳の状態を記録しておいて、後からその時のプレイの詳細と精神状態を結びつけて分析するわけである。

なにしろこのデバイスは軽いから、つけたままたいていの運動はできる。ということはつけっ放しにして生活してもストレスにはならないわけで、このモードを、別の用途に使うこともできる。

脳波をとりながら普通の生活を、日常を過ごすのである。そのグラフを後から見直して、脳波が変化した時刻と自分がやっていたことを照合してみる。

これが、実に興味深い。

今日の○時○分、脳波がビンビンになっている。何をやってる時だったっけ。……電車の移動中、地味な時間帯だったはずだが？　……そうか、あの時読んでいた本が結構面白くて、あやうく乗り過ごしそうになったんだった。
○時○分。いきなりテンションが落ちている。これは昼ごはんを食べてる時だ。そういえばあの店のチャーハン、まずかったなあ。
○時○分頃、また上がってる。急にいい脳波になったこのあたりは○○さんと会っていた時だ。今まで意識しなかったけど○○さんのことを僕は好きなのかも。
……といった具合に、自分の知らない自分が明るみになるのである。

どうでもいいと思っていた本や人が実は自分にとってとても大事だったりする。その逆もある。


あなたがつきあっている彼氏。イケメンで東大出で優しくて、いつも周囲には自慢している。自分自身、大好きだと思っている。

ところが脳波デバイスを試してみると、その彼氏と会っている間じゅう、あなたは落ち着かない気分、ともすれば不快な気持ちになっていることがわかった。

……なんてことが、ありえるかもしれない。

そういう時はやはり別れた方がいいと僕は思うのである。逆に、不細工だなーと思ってる人でも、一緒にいて良い脳波になれる相手の方がいい。

仕事も同じだ。すごくお金がもらえてステイタスが高いと思っている職業についていても、もし毎日ひどい脳波を出し続けている状態だったら、その仕事は長くは続けられないのではないだろうか。

脳レビューの試み

僕もこれで、自分の知らない自分をたくさん発見することができている。意外だったことも多かった。

例えば運動では、ジョギング中は脳波が低迷していた。一方、腕立て伏せやスクワットなどの筋トレでは良い脳波を出していた。これは普通の人とは逆の傾向かもしれない。

ネットサーフィンは、開くサイトによってころころ変わった。エゴサーチは良くなかった。知らない人からもらったメッセージに返事を書いている時は非常に良かった。今まで気づかなかったが自分にはこういう社交性があったのだ。これからどんどん返事しようと思った。

そのほか、いろいろなことをやりながら脳波を調べてみたので、画面写真を並べてみる。

映画を観たりゲームを遊んだりしながら脳波をとると、自分が楽しんでいるか退屈しているか、如実にわかってしまう。評論家のレビューだって、その作品を観たり遊んだりしている時の脳波画像を一緒に公開すれば、ぐっと信用できるものになるはずだ。

YouTuberやVTuberの皆さんはやってみたらいかがだろう。脳波の変動を見せながらのゲーム実況なんてどうか。特に宣伝のための案件はこれをつければ説得力が格段に上がるのでおすすめだ。このゲーム楽しいですね、とか口で言っていても、心の中でつまんねーなと思っていたりするとそれがバレバレになる。

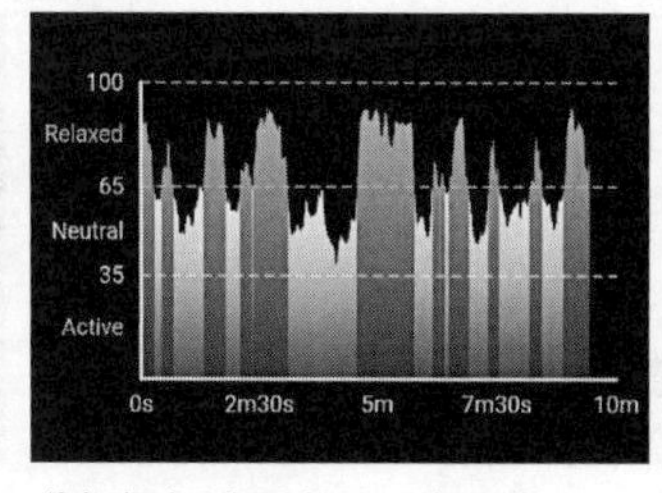

筆者が面白い映画を観ている時の脳波。

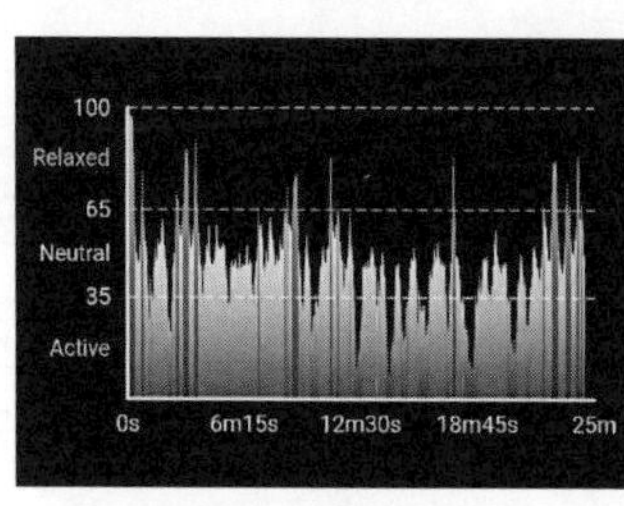

つまらない映画を観ている時の脳波。

そのほか僕の場合はお酒を飲んでいる時はあまり良くなかった。やはり酒はやめた方がいいのである。

仕事している時、特に小説を書いている時は、とても良かった。仕事はたくさん受けた方が長生きできそうである。

脳と脳をつないでいく未来

ヘッドバンドの前面には小さなＬＥＤランプが付いていて、脳波の数値によってこの色が変化する。

数値が高い時は青。普通の時は黄色。そして数値が低い時、僕がいらついている時は赤になる。

『フォーカスカーム』をつけたまま生活している僕と会った人は当然ながら皆このランプを気にしていた。その反応も面白かった。

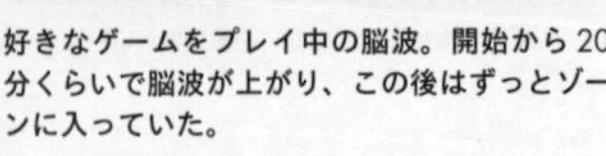

好きなゲームをプレイ中の脳波。開始から20分くらいで脳波が上がり、この後はずっとゾーンに入っていた。

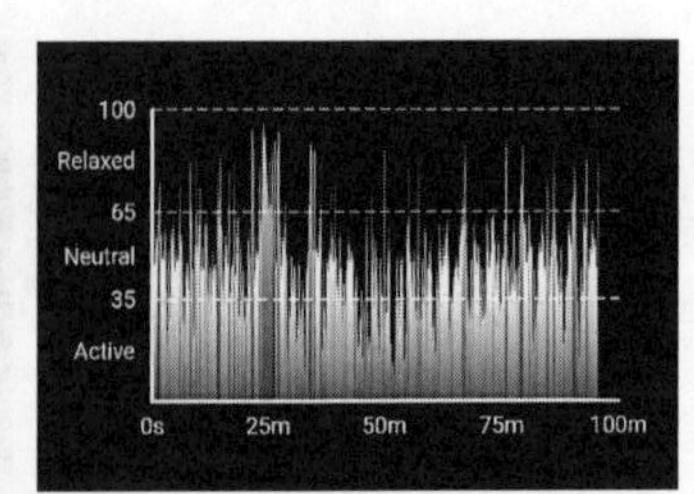

筆者がゲーム（オンラインポーカー）をプレイ中の脳波。定期的に脳波がしゅっと上がる。このサイクルはポーカーのゲームサイクルと一致している。

こんなことがあった。喫茶店で打ち合わせをしていた時、相手がマスクを外してコーヒーに口をつけてから軽くむせたのだが、すぐにものすごい勢いで謝り始めた。

彼が咳をした瞬間、僕のランプがぴかっと赤くなったらしい。

全く意識していなかったのだが、僕は深層心理で一瞬ムっとしていたのだろう。

こういうことにも、近未来の風景が垣間見える気がする。平たく言うと、

「口ではいやがっているが脳波は喜んでるじゃないかヘッヘッヘッ」

というようなやりとりもあり得る、ということだ。

自分の脳波の状態で、自分にとっての相手の価値を値踏みしようとする。しかしその深淵をのぞく時、相手もまたこちらをのぞいているわけだ。

＊

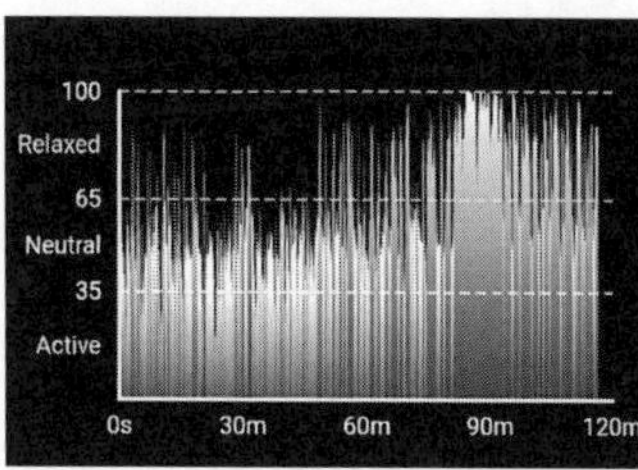

この原稿を書いてる時の脳波。0分～60分くらいまではだらだら雑念にまみれていて、70分を超えたあたりからようやく集中、120分で書き上がった……最初から集中していれば半分の時間で書けたのである。

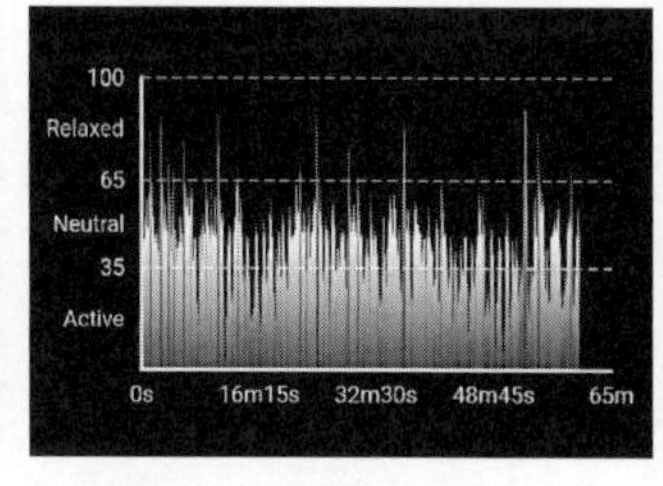

クソゲーをプレイ中の脳波。つまらないゲームでも良い脳波は出るが長続きはしないため、グラフはギザギザになった。

脳波デバイスとは、キーボードやコントローラーに代わる未来形のインターフェイスだ。これを使って、脳波で言葉を入力したりゲームを動かしたりする試みがどんどん進んでいくことだろう。

ただしそれだけではない。脳波によって人は自分自身を常に見つめ直すようになる。その影響はとても大きいと思う。鏡がない時代から、鏡がある時代に移行するくらいの変化だ。

さらにその延長線上に、自分と他人との新しい関係も成立する。脳波と脳波で直接コミュニケーションすることは今すでに可能なのだ。他人の脳波グラフを見て今この瞬間のその人を深く理解する。その理解を相手はこちらの脳波を見て理解してくれる。例えばそんなコミュニケーションが、これからは会話や身振りといった従来のコミュニケーションと同時に行われるようになるだろう。

そんなに先のことではない。コロナ禍以降もある程度マスクが定着したら、顔の表情によって感情を伝え合うことが困難になる。こういうツールがその代替となるかもしれない。

さらに、僕らが3Dのバーチャル空間で暮らすようになった時の感情表現に、これはとても有効だ。

メタバースにおいて僕らは、物質的な制限から解放される代わりに、肉体的な表現方法を失う。そこでは人と人が、表情や、それどころか声や文字すら経由せず、脳から脳へ、感じていることや考えていることを直接伝え合う試みがスタートするだろう。

それは人類が一つの巨大な「地球脳」となっていく未来に続いていく。

……なんてことを夢想する「脳」であった。

beyond the future

その先の未来

夢の中へ

ＳＦ作家として、脳波をスキャンするデバイスがさらに高度化していくその先を妄想している。

最近急激に進化している生成系ＡＩと組み合わせれば、脳内で想像していることをリアルタイムでビジュアル化するデバイスは、もうまもなく出現するだろう。被験者の脳波を読み取って瞬時に映像化、さらには３Ｄ空間化していくのだ。

例えば僕は、居心地の良い自然の風景を想像している。すると、目の前がすうっと緑色に染まっていく。一面の草だ。

大きな木、とつぶやいてみる。すると様々な形の樹木が浮かび上がってくる。気に入ったものがあったらまばたきで固定する。木々は草原のあちこちに配置されていく。

いつの間にか足元に道ができている。ゆっくり前進してみると、その先に木々は増え、やがて森になる。

空間を歩き回る。そこにある様々なものは、近づいたり触ったりするにつれ、さらに緻密(ちみつ)にリアルになっていく。

森は意外にも見晴らしが良くて、巨大なドームの中に入ったようだ。見上げると木々の枝にはいろいろな形の果物が実っている。ずっと上で茂った葉が緑色の天井となり、ところどころから光の筋が漏れている。道はさらに続く。視線を落とし足元から先に伸びる道筋を見る、とその瞬間から、地面のあちこちにカラフルな花やキノコが生えてくる……。

このデバイスで、夢を録画再生することも可能になるはずだ。見た夢の中にもう一度行ってみたり、あるいは他人の夢の中に入ってみたりすることも。

それはあまりにも素敵な体験だと思う。あなたはそこから、戻ってくることができるだろうか。

NFT

NFTで大儲け!?

ブロックチェーンとは、ネット上のデータに、その履歴も含めて、誰も改ざんできない印をつけることができる技術だ。

例えば「仮想通貨」はこれを利用して、ネットの世界で偽札を作れなくするシステムだ。その技術を、お金ではなく今度はアート作品に使おう、ということで生まれたのが「NFT（Non-Fungible Token／非代替性トークン）」。

偽札に続いて今度は贋作を作れなくするシステムである。

デジタルの世界、ネットの世界では、いくらでも同じものがコピーできてしまう。それは良いことでもあり困ったことでもある。

例えば絵。現実世界で、キャンバスに絵の具を塗って作成する絵なら話は簡単だ。本物はその一点しかないわけだから、その作品を買った人は、それを手に入れることによって独占できる。そのために何億円払うということも納得できる。

けれど、その絵がデジタルの絵だったら。それがネット上に公開されているものだったら。誰でも簡単にコピーできてしまうものだったら、どうか。そういう作品にわざわざお金を出して買おうって人はいなくなるのは当然だ。そこが問題だった。

そこで、ＮＦＴだ。いくらでもコピーできるものでも、コピーされたものがすでにたくさん出回っているとしても、その本家本元を決めてＮＦＴ＝デジタルの証明書をつける。それで、オリジナル性、唯一無二の価値を付加できるというわけである。

これでデジタル作品でも、物質の絵画や彫刻と同じような「財産」として売買できるようになる。

かつては、文章なら紙を束ねた書籍に、音楽なら円盤の形のレコードやＣＤに、映像ならビデオテープやＤＶＤに値段相応の価値を負わせていた。消費者はそれらをしっかりと手に持てる所有物にするために、お金を払っていたわけである。

けれどインターネットという史上最大のコピーマシンが出現したことで、その約束が破壊された。

今や本も楽曲も映画も、そしてもちろんゲームも、デジタルデータとしてオンラインで売り買いされるようになった。その時、価値は紙束や円盤ではなくその中身にあったこと、形のないものだったということがはっきりしてしまった。無料でコピーできるものを売り買いすることの矛盾が顕わになってしまったわけだ。

形のないものにどうお金を使うのか。

さらにこの先の未来、僕たちがメタバース空間で暮らしていくことになったとしたら。そこではコンテンツだけでなく、あらゆるものが……服も、家具も、建物も、土地も……瞬時にしてコピーできるものとなる。

そういう世界でどうやって財産を所有したり、売り買いしたりするのか。


その不安と疑問に応えるように登場したのがNFTだった。ただし「NFTで大儲け!」というようなバブルを煽る報道が先行し（一つのツイートが約3億円で売れたとか1枚の絵が約75億円で売れたとか）、そのせいで一般には多少うさんくさいものとして認識されてしまったきらいがある。

今のところはまだ、お金持ちの投資案件や大企業の新規ビジネス案件の域を出ていない感がある。しかしそれは本質ではないはずだ。

新しい試みでNFTマーケットプレイスの運営を行っていることで注目を集めている株式会社ORADAに取材を申し込んだ。以下、代表取締役の藤野周作（ふじのしゅうさく）さんのインタビュー。


（取材・2022年5月11日）

そこに部屋を持つ感覚

——ORADAさんの特徴を教えてください。

藤野　NFTプラットフォームというと一般的には作品の画像と価格等のデータがずらりと並んでいるだけのところがほとんどですが、当社のサイトでは各アーティストの個人ページを作成していることが特徴です。販売されている各作品から入ってもらって、作った人の活動歴や技法など、背景情報を詳しく知ってもらおうという作りです。

——特定の作家や作品を目当てに来た人だけではなく、前知識

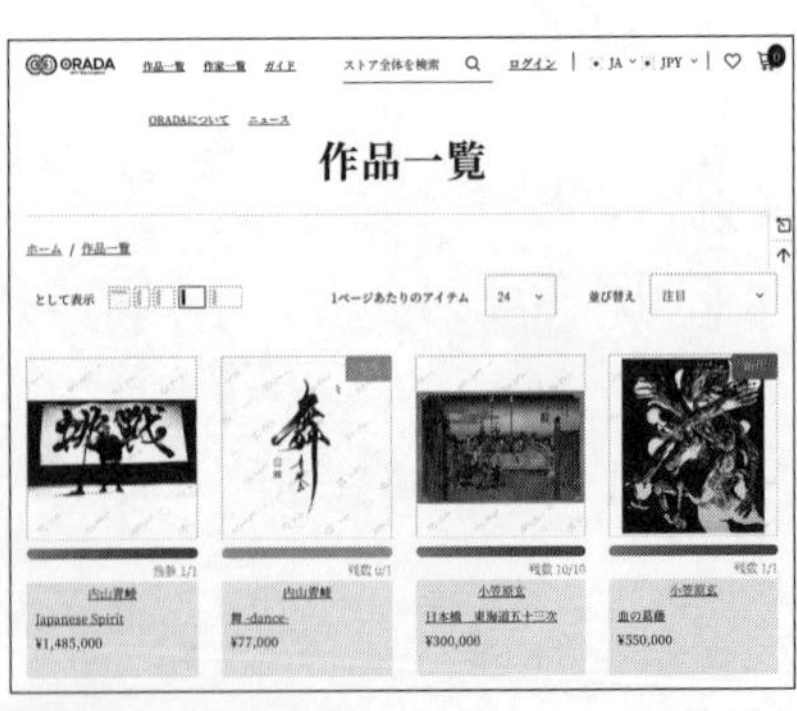

ORADA 社の作品一覧ページ。

のない人がぶらりと来て、なんとなく眺めていても楽しめるものになりそうですね。

藤野　はい、そういう方々がもしいずれかの作品に興味を持たれたら、それをきっかけにそのジャンルについて掘り下げて知っていくことができるようなサイトになっているんです。それからもう一つ目的があって、各作品の真正性を証明することですね。

——NFTをつけることですでに各作品は本物だという証明になっているわけではないんでしょうか。

藤野　別の問題がありまして。NFTのマーケットプレイスは世界中に多数ありますが、詐欺(さぎ)的な出品が多く見受けられる状況となっています。つまり、他者の著作物をコピーして自分のものとして出品することがとても簡単なんです。とある著名なマーケット

インタビューはオンラインで行われた。

プレイスでは過半数が詐欺作品だという調査結果も出ています。我々はここに各アーティストの場所を作ることでこれを防止しています。

——本人から直接買う感覚になるわけですね。コミケのブースで作者本人が手渡しで作品を売っているようなものでしょうか。コミケと同様、そこで売り手と買い手のコミュニケーションも生まれると思います。単純な宣伝の場としてだけではなく交流の場所としても機能する、つまり新しい形のSNSになっていくということですね。

藤野　はい、このページが各アーティストにとっての本拠地になっていくことを目指しています。ユーザー側の視点に立ちますと、このページを楽しんで、そのアーティストのファンになって、その次の段階に作品を選んで、購入するという流れが望ましいですよね。

——それは買う側からしても理想ですよね。ただし現状、NFTやブロックチェーンの仕組みは一般の人にはわかりにくいと思います。自分の経験から言いますと、NFT作品を買ってみようと思った時、仮想通貨取引所の口座を開設して、さらにウォレットを用意して、次に仮想通貨を購入してそれを口座からウォレットに送金して……と、こうして言ってるだけで面倒くさい作業が必要になり、その過程で投げ出しそうになりました。

藤野　そこを簡単にすることも普及の鍵だと思っています。当社のサイトはクレジットカードやペイパルで、日本円や米ドルでの決済も用意されています。またアップルペイやグーグルペイで、つまりスマートフォンからも簡単に購入できます。手続きとしては普通のＥＣサイトを使うくらいの作業ですね。

――普段使っているカードやアプリで振り込み作業をすれば、自動的に決済用の窓口ができるということですね。

ORADA社の作家一覧ページ。

藤野　はい、一度購入されたお客様は自動的にアカウントが登録されます。購入したNFT作品が格納された場所が設けられて、自由に出入りできるようになります。

——アーティストが拠点としてのページを持つのと同じように、ユーザー側も自分の部屋を持つ感覚になりますね。

藤野　それぞれのユーザーが、自分のコレクションが並ぶ場所を持つわけですね。例えば友達とお酒を飲んでいる時にスマホで気楽に開いて、こんなものを買ったんだよ、とか、最近注目のアーティストはこの人、といった具合に話す風景をイメージしています。

——自宅の居間に作品を並べて来客に見せるような感じですね。コレクションが充実してくると、それが部屋から画廊になっていきます。それを友人だけでなく不特定多数の人に公開することが、アーティストの創作活動とはまた別の自己実現になっていくと思います。目利きの才能を発揮する人が増えると面白いですよね。自分のコレクションを気に入ってくれる人とは気が合うはずですし、欲しいと言う人に所有作品を売ったり、あるいは人気作品はオークションに出したりするようなビジネスも、そこを拠点に自然に行っていけるのではと。

資本主義から自由になる

藤野　作品を購入されたお客様がそれを転売する仕組みも、サイト内で構築中です。通常の二次流通と違うのは、転売されるたびにアーティストつまりその作品の作者のところにも価格の一部が入ってくる仕組みを作れることです。アーティストは作品を売ってそれでおしまいではなくて、それがファンの手から手へ移動するたびに、売上の10％とか15％とかのお金が入るわけです。著作権管理の方法としてこれは極めてフェアなシステムだと思います。

――ＮＦＴならではの仕組みですね。作品が再販売されて売上が立つたびに著作権者にリターンが入る、この機能に特に可能性を感じています。というのは僕も作家のはしくれなので、私利私欲に根ざした発想もありまして（笑）。真面目な話、著作権ビジネスというものが抱えている矛盾を常々感じているんです。本を出版社に印刷してもらい、売り出してもらいますが、その最初の瞬間だけ印税を頂けるわけです。その本を転売されても、ECサイトや新古書店で売られても、そこで動くお金は一切僕には入ってきません。ブックオフで買いましたとか図書館で借りましたとか無邪気に報告してくれる読者は多いんですが、そういうところでいくら読まれても作家にも出版社にも1円も入って来ないってことをみんな忘れていると思います。ネット時代になるとこれはさらに深刻になります。このままだと作家もアーティストも霞を食べて生きていくしかなくなるという危機感を持っていました。

藤野　はい、我々もこの機能で理想的な著作権管理が実現できると思って、力を入れています。そもそもコンテンツの権利は作り手にあり、利益が出るたびにそこに還元されるのはごく自然なことです。この問題はネット時代以前から各国で取り上げられていて、ヨーロッパの一部の国では二次流通以降も原著作権者にお金が流れる仕組みが法制化されています。けれど法律があったとしても、現実にそれが正しく適用されることは難しいのが実情でした。人から人へのコンテンツのやりとりを全て監視するのは不可能ですから。ＮＦＴであればそういった問題を解決できます。作品の取引履歴、所有権の移動履歴を完全に追跡できますから。国境を越えて移動したとしても、国ごとの法律に依存する必要もありません。鵜の目鷹の目で監視しなくても、自動的にチェックと精算が行われます。

――アート業界に限らず、ＮＦＴに新しい著作権運用の可能性を見ているコンテンツ企業はとても多いです。しかしこの点に意識的なマーケットプレイスはまだ少ないので、御社のシステムは出版業界や映画業界からのニーズも多いと思います。

藤野　ありがたいことにすでに数社からお声がけを頂いてます。ただしメジャーなタイトルやアーティストを多く抱えている大手企業とのコラボレートには、慎重になっています。もちろんビッグネームを利用させてもらった方が手っ取り早くビジネスを成立させることができますが、そこには危険性もあるんです。ＮＦＴは、若い無名アーティストを売り出したり、マイナージャンルの文化を広げていくことに向いています。ビッグネームを先に押してしまうと、その点がぼやけてしまうわけです。

――NFTは当初から大企業が参入してきて、大きく報道されました。有名な芸能人やスポーツ選手の楽曲や写真がNFT化されて高値がついて、それがNFTブームという印象になってしまった。そのせいで有名人や有名コンテンツの新しい収益源というイメージが強くなっています。

藤野　誤解なんですけどね。もともと著名なタレントやタイトルなら、NFTという仕組みを使う必要はないんです。有名作品を大手企業が扱う場合、その出自を疑う人はいません。ですからブロックチェーンなど使わずに自社内の一つのサーバーで中央集権的な管理をして販売すればいいんです。一方で、まだほとんどファンがいないアーティストの作品を、著作権を守りながら広げていくことはこれまでのメディアでは、とても難しかったわけです。そこでNFTがすごく使える、使いたいということが、この会社を立ち上げた理由です。

――コンテンツも、これまでは工業製品と同じように資本主義の原理で売られていました。いかに多くの人に知らしめて大量に生産して大量に販売するか、というモデルが圧倒的に主流だったんです。NFTによってコンテンツ産業全体の仕組みが変わっていく可能性すら感じます。

藤野　当社には従来形式のコンテンツビジネスの経験があるメンバーが集まっているのですが、皆これまでそれぞれに悩みを抱えていました。まだ数字を持っていなくても才能があり将来性がある人を、どう支えていくかという点です。これまでのコンテンツビジネスでは、どうしても数が正義になっていて、すでに多数のファンを抱えているクリエーターやコンテンツに注力せざるを得なかったんですね。ところがこの新しい仕組みをもってすれば、世界に数十人しかファンがいない人でもそこからきちんとマネタイズしながら育てていくことができるんです。すごく夢があると思いませんか。

――とんでもなく尖(とが)っているアーティストでも、その作品を熱狂的に支持してくれる人が1億人に1人いたら世界中に80人です。ネットなら、そういうファン層の獲得が可能ですよね。もちろん80人のファンでは、従来のコンテンツビジネスだったら成立しないわけですが、ここなら、いけますよね。80人が１００万円ずつ出したら、８０００万円です。「80万人から１００円ずつ」一気に受け取りましょうという形を、「80人から１００万円ずつ」丁寧に受け取っていきましょう、という形に変換していけますね。

藤野　そのために、マスメディアを使って大宣伝をかける代わりに、アーティストページを使ってその顧客一人ひとりとしっかりお付き合いするといった方法があるわけです。

――大げさな言い方になりますが、これがうまく行けば、コンテンツ産業を資本主義からスピンアウトさせていく可能性がありますね。話がそれますが、この記事企画の主宰者である星海社はこういう領域においてかなり先駆的に活動しているんです。２０１２年のことですが、佐藤友哉さんという非常にカリスマ性が高い作家と「１０００ドル小説の旅」というプロジェクトを行ったことを覚えています。「世界でたったひとつの物語を佐藤友哉があなたに向けて書く」というキャッチフレーズのもと、佐藤さんが10人限定で１人１作品その人のための小説を書いて、それを１本１０００ドルで売ったんですね。それは日時を決めてネット販売され、一瞬で完売したんですが、佐藤さんと担当編集者の太田克史さんが、全購入者のところまで手渡しに行ったんです。そのためにお二人は日本じゅうを旅行することになります。それが「1000ドル小説の旅」と名付けられたのですが、資本主義世界で行われる出版ビジネスとしては最もエッジの部分を先取りした企画だったと思います。

星海社・守屋　最近ではその佐藤友哉さんと星海社のプロジェクトで、クラウドファンディングで過去作を復刊する企画を行ったりしています。

——その企画も成功しましたね。次はNFTを活用してはどうですか。

守屋　はい、クラウドファンディングの時にはリターンの一つとして支援者に特典小説をPDFで配布したのですが、今後そういうことにNFTが使えるかもしれないということを考えていました。

藤野　そういう志のプロジェクトはＮＦＴと相性が良いと思います。出版も、新しい作り方、売り方ができるようになるはずです。著作と同時に限定数のＮＦＴを発行して、それを持っている人は著者に年一回会えるとか。

様々な文化を支えていく

――ＮＦＴを活用して、これからやっていきたいことを教えてください。

藤野　地方のアーティストにも注目しています。例えば地方で陶磁器を作っているような人が、その作品を海外に販売するとしたら、越えなくてはならないハードルがあまりに多い。ならば作品そのものをやりとりせずに、そのアートとしての魅力を３Ｄ－ＣＧ化してＮＦＴをつけて販売していく、というようなことはあると思います。地方の自治体と連携した企画も進めたいです。私の出身地は秋田県で、秋田の作家さんにＮＦＴを販売してもらう企画を考えているんです。ポイントはＮＦＴを必ず２つ発行してもらうこと。めでたく1つが売れたら、残った1つは地元に残してもらうんです。

――なるほど。世に出る作品と同じものが、郷土デジタル美術館のようなところに永久収蔵される、と。秋田に限らず全国各地で行って頂きたいです。

藤野　1作品につきNFTを2つと言わず1000個とか2000個とか発行するアイデアもあります。地元の中学校とか小学校とかの生徒全員に配付するんです。もらった作品を、郷土の文化について知るきっかけにしてもらえたらと思います。

――ORADAさんでは、絵画や彫刻だけではなくて、日本の各地で伝承されている様々な文化もラインナップされています。料理のNFT化なんてすごく驚いてしまいましたが、どういうことなんでしょう。

藤野　料理はすごく面白いテーマです。和食とか和菓子とかって、味だけでなく見た目も素晴らしいですし、それに季節ごとに変化するんです。そこには大きなノウハウが存在するわけです。それをレシピとしてまとめてＮＦＴ化することを考えています。そのレシピを使って海外でなら商売をしてもＯＫということにする。さらに、そのＮＦＴを購入して正しくそのノウハウを活用しているレストランやお菓子屋さんには、本物である証明として特定のロゴを使って頂く、と。

――既成概念では思いもつかないような新商品が生まれる可能性を感じています。将来的にはどのようなものがＮＦＴ化されうるか、予想や期待も含めてお話しください。

藤野　アーティストから広げて、一般の個人の、私的な思い入れや思い出をＮＦＴ化するというのもありだと思います。例えば記念写真をＮＦＴ化することで未来永劫（えいごう）この場面を残しておきたい、という気持ちをネットに焼き付けることができます。

――結婚写真をＮＦＴ化するとか？　そう考えると、とても便利に使えそうです。式に参加した人は全員ＮＦＴを配付される。それ以外の人は、所有はできないけれど限定的に鑑賞することができる、という形ですね。

藤野　そうです。写真に限らず、思い出の品をデータ化してNFTをつけるというのも良いですね。家宝といいますか、掛け軸とか壺といったものを一族で代々継承して、それを家系のアイデンティティーにしている例はよくあるでしょう。そういうものの持ち主の方からお話を伺うと、現実のモノは時間を経るほどにどうしても劣化していくことが不安だと皆さんおっしゃいます。現物を大切に保管しながらも、それが最初にできあった時の姿も別途にデータとして残したいというニーズがあるんです。

――デジタルデータは永遠ですからね。これは美術品に限らないことですね。

藤野　残しておきたいモノは毎年のように出てきますよね。人形だとか服だとかトロフィーだとか、すごく大事な思い出があっても、かさばるモノをとっておくのは大変です。家族はともかく子孫代々となると、どんなに大きな蔵があったとしても無理でしょう。そういうものはデータ化して、NFTをつけて保管するということになっていくと思います。

――人間を取り巻くありとあらゆる事柄、文化や芸術に限らず、日常のふるまい、習慣、記憶、あるいは人間関係、思い出などまでもがNFT化されてネット空間に残っていく、そんな未来を予想しています。僕はSF作家なので、さらにその先を妄想してしまうんですが……。例えば、極めて個人的なものまでを証明書付きで売りに出してしまうようなことも考えられますよね。家族だけで持っていた大事な写真をお金に困って売ってしまったら、その瞬間に家族の思い出の価値までが消えちゃうみたいなことも、ありえるでしょう。そういうことが、代々継承してきた家宝をお金に困った当代が売ってしまうのと同じくらいには普通になるような気がするんですね。

藤野　この技術はこれからあらゆる方面に利用されていくと思います。おっしゃるように個人としてかけがえのないものまでを商品化してしまうこともできるわけですから、幸福な状況だけでなく不幸な状況を生み出すことも、もちろん考えられます。ただインターネットが生まれた時と同じように、いろいろ使ってみる。経験を重ねていくことによっていろいろな知恵が生まれ、危険への対策もできていくと考えます。

NFTが活用されることでコンテンツの「価値」が再考されつつある。一般的なもの、大きなもの、有名なものだけではなくて、ほんの一握りに強く支持されているもの、ある地方だけで、さらにはある一家だけで継承されているもの、あるいは自分一人だけが命より大切と思っているようなもの、それらの価値までがネット上に永遠のものとして保管されるようになる。それだけでなく、場合によってはビジネスになっていく可能性がある、ということだ。

＊

NFTは、資産家や大企業だけのための技術ではない。極めて個的な、つまり全ての人間に関係してくるツールなのだ。どんなものでも、自分で価値があると思えたら即、唯一無二の存在として資産化できる。

としたら、自分は何に価値を見出して、何を残していくか。考えてみると、これはなかなか難しいことである。

自分の価値

人の経験や記憶も、つきつめればデータだ。いつかそういうものまでが商品となり売り出されるようになる。そんな未来が楽しみであり、恐ろしくもある。

自分の大切な思い出までを売り払ってしまうような人がいるかと聞かれたら、いると断言する。今ＳＮＳを見渡せば、承認欲求のために自分や家族のプライバシーをだらだらと公開し続けている人が大量にいる。自分の犯罪行為を撮影して公開する人さえ存在する。そういう行為にやがて、経済効果が伴うようになるかもしれないのだ。

例えば次世代のアイドルを予想する。歌声を売る、芸を売る、容姿を売る、そんなアイドルがいたように、ここからは私生活や秘密を売るアイドルも出現するだろう。

バズったツイートを売る。髪型を売る。笑い方を売る。日記を売る。小さい頃の動画を売る。かつて体験した初めてのあれこれや、幼なじみや恋人とのやりとりを売る。大切だったぬいぐるみや本の写真を売る。自慢や恥(はじ)を売る。人間関係を、例えば家族を、親友を売る。

そのビジネスモデルに乗って大金持ちになる人がいるだろう。一方で、ついには何一つ売れなくなった、売るものがなくなった、そんなアイドルの姿も想像してしまう。

そうなった時、自分の手元に残っているもの、つまり売れ残りのものが、むしろ自分自身の本当の価値ということになる。もし、そこに何もなかったら……。

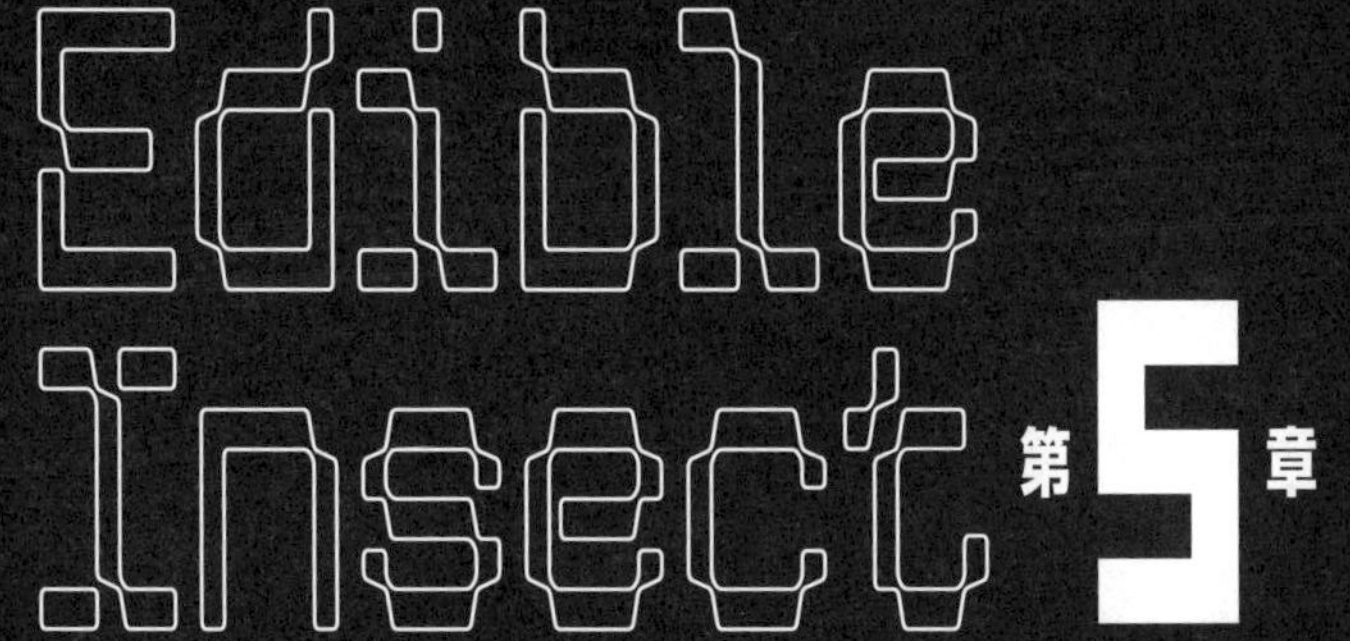

昆虫食

コオロギは人類を救うか。

2013年5月、FAO（国連食糧農業機関）から一つの報告書が発表された。食料不足対策として昆虫食の可能性を提示するものだ。人間用の食材や家畜用の飼料として昆虫を活用する施策を推奨すると明記されており、この内容を受け各国政府や企業による昆虫食の研究や製造、取引が加速し始めた。昆虫食が人類共通のミッションとなったのだ。

SDGs視点からみると、食材としての昆虫の優位点は数多い。牛や豚といった従来のタンパク源と比較して、生産段階の環境負荷が極めて低いのだ。

ただ僕は、単純に「楽しい」という点から、昆虫食が広がることも期待している。昆虫食のイベントに何度か参加し、様々な昆虫料理を試食した。あるいは仲間と山でセミやバッタを捕獲して、素揚げにして食べてみたこともある。あくまでも興味本位での体験だったが、コオロギやカマキリ、ハチといった身近な昆虫が、簡単な調理でとても美味しくなることに驚いた。虫取り網を持って昆虫を捕獲する行為も、そこに食べるためという目的があると、楽しさが倍増することも知った。

空前のキャンプブームでもある。昆虫食は、例えばアウトドアアクティビティやジビエ料理の一環として定着していく可能性も大いにあるのではないだろうか。

今回話を伺ったのは、徳島大学講師／株式会社グリラス代表取締役の渡邉崇人氏だ。同大学で長年にわたり取り組まれてきたコオロギ研究の成果を応用し、２０１９年にフードテックベンチャーとしてグリラス社を設立。以来このテーマにおいて研究者と事業家の二足のわらじでの活動をされている。

昆虫食の分野で最先端にいる人物だ。話を伺っていくうちに、僕の先入観はかなり覆されることとなった。

（取材・２０２２年７月６日）

コオロギが何の役に立つの？

——先生が昆虫の食用利用の研究を始めたきっかけは何ですか。

渡邉　もともとは大学の研究室で、発生生物学の研究を行っていました。具体的には、様々な生き物がそれぞれどういう風に自己の形態

徳島大学講師／株式会社グリラス
代表取締役・渡邉崇人氏

を作り上げていくかということを、特に遺伝子に着目して調べていく研究です。そこでモデル生物としてコオロギを使ってきたわけです。それはいわゆる基礎研究ということになります。「それって具体的に社会の何に役立つの」という問いに、答えを出しにくいタイプの研究なんですね。昨今、実利的な成果が見えない活動にお金が配分されにくいという現実がありまして。そこで、コオロギの研究が直接社会の役に立つのだということを示すことができれば、基礎研究活動も継続していけるのではないかということを考えたんですね。研究室としては30年、私個人としても17年間、コオロギの研究を続けてきましたので、この生物についての知識や理解は十分に蓄積されています。これを産業化することは可能だと考えました。

——基礎研究に対して「何のためにやっているのか」という説明を求める風潮が昨今目に付きます。これは本来とてもおかしなことだと個人的には思うんですが。ただ、先生の場合はそれを突っぱねるのではなく、じゃあ両方やりましょうと。大学での研究を行いつつ、同時にビジネス展開も始めてしまおうと。そこで「食べてしまおう」となった展開に驚かされます。

渡邉　コオロギの研究成果を産業に活かしていく方法をいろいろ考えまして。例えば生体工場として使う、つまりゲノム編集したコオロギを飼育してそこから有用な化学物質を生産するとか、あるいは飼料として活用するとか、アイデアはいくつかありましたが、コスト面や社会への直接的な貢献性などを考えて、食料としての用途に絞り込んだわけです。コオロギの食用化の研究を開始したのが２０１６年からです。

——発生生物学のモデルとして使いやすい生物だったコオロギが、食べ物としても優れていたというのは偶然なのですか。

渡邉　いいえ。偶然ではなくて、実験動物として優れている点が、畜産動物としての優位点と共通していたということです。発生生物学の研究では、個体をタマゴから成虫まで繰り返し育てながら観察します。その対象としてコオロギが最適であることについてはいくつかの理由があります。まず、雑食であること。昆虫は、特定の植物しか食べないような種も多いんですが、育てるためにその食べ物を大量に用意しなくてはならないとなると、大変な手間になるわけです。それから成長サイクルが速いこと。世代をまたいでの実験もありますので、セミのように成虫になるまでに何年もかかるようなものは向きません。それから、観察しやすい、つまりある程度大きいことです。……雑食であること、速く育つこと、大きいこと。これらの特性はそのまま、畜産動物としての優位性にもなったわけです。

——なるほど。個人的にはセミを食べたことがあり、とても美味しかったのですが、確かに養殖には不向きですよね。育つのに7年とか13年とかかかってしまうわけですから。

渡邉　今よく言われるＳＤＧｓのための、つまり生産効率や環境負荷の面での優位性もあります。例えば既存の畜産と比べて、餌(えさ)や水の量が圧倒的に少なくて済むことです。１キロの肉を作るために必要な飼料の量は、牛が10キロに対してコオロギは１・７キロとなります。１／５以下です。必要な水の量は、牛が２万２０００リットルに対してコオロギは4リットル、１／５０００以下になります。この点は特に、水を得にくい地域に導入するために大きな優位性になりますね。それから環境負荷も劇的に下がります。排出される温室効果ガスは、牛が2800グラムに対してコオロギは100グラム。約1／30です。

——かなり驚異的なデータですね。

研究対象から、食品に

——発生生物学という、僕ら一般人にとってはちんぷんかんぷんな基礎研究から、全ての人にとっていちばん身近な〝食べ物〟というところに跳躍したことが、見事だと思います。取り組まれている研究について、食用化に結びついていることについて具体的に教えてください。例えば遺伝子組み換え技術や、昨今話題のゲノム編集技術を応用して、より食用に向いた昆虫を作っていこうという試みはありますか。

グリラス社で養殖されているコオロギ。

渡邉　遺伝子組み換えとゲノム編集というものは同列に語られることがありますが、この2つは似て非なるものなんです。我々には、遺伝子組み換えで品種改良を行う予定はないんです。ゲノム編集技術を使っていこう、と。ゲノム編集技術は我々の研究室ではかなり早い時期から取り組んできたテーマでした。これをコオロギに導入しようという試みも行っていました。コオロギのどの遺伝子がどの部位のどんな形作りに関係しているのかを調べていたんですが、そのために、コオロギの特定の遺伝子をオフにする実験などを行っていました。最新のゲノム編集技術では、そういうことが可能なんです。

――今はそういう分子レベルの、ピンポイントの改良もできるようになっているわけですね？

渡邉　はい、それはもちろん農作物や畜産物の品種改良にも活かせることなんです。例えば稲の品種改良として古来行われてきたのは、顕著な特性を持った稲どうしの交配によってよりよい品種を作ることでした。背が低くて実が少ない稲と、背が高いけれども実が多い稲をかけ合わせて、運が良ければ、背が低いのに実をたくさんつける稲が発現することがあった。そうやって何千年という期間をかけて、より育てやすくより収穫量が多い稲を作ってきたわけです。20世紀以降には、放射線を当てることで変異させる方法が使われるようになりました。ただ、そこまでの方法では、どのような個体が生まれるか予測ができなかったんです。何度も何度も試みて、結果として良かったものを抽出する形だったわけです。それが最近のゲノム編集技術では、特定の遺伝子の役割を把握しその遺伝子の機能だけをオフにすることによって、理論上は狙い通りに生物を変容させることができるようになっています。我々はそのノウハウを活かして品種改良を行っていこうということです。

——今最もホットで、ノーベル賞も出ている領域ですね。遺伝子を組み換える実験では、以前は100万回でも繰り返して運良く成功することを期待するしかなかったといいます。それが2010年代以降のゲノム編集技術の革新によって、1回の実験で、100％に近い成功率で狙い通りにすることが可能になっているという文献を読みました。その最先端の現場で得られた知見は、大きな武器ですね。それを応用して、食用に向いたコオロギを作り出していくということでしょうか。例えば栄養価が高いコオロギとか、あるいは単純に食べて美味しいコオロギとか。

渡邉　コオロギをどのように改良していくか、いくつかの段階を考えています。いきなりこれはすごい栄養価がありますよ、とか、美味しくなりましたよと言っても、理解されにくいと思います。なんと言ってもこれまでに食べられてこなかったものですから、改良前のものと比較できないわけです。まずはコオロギを社会に広めていく上でネガティブになっている要因を取り除くことから始めようと考えています。例えば、食品として実はとても大事な要素は、色です。コオロギはもともと色が黒いんです。我々はこれを粉末にして食材として出荷しているんですが、それも当然黒いものになる。材料として使うと料理全体の色をくすませてしまう。白い粉末としてコオロギを提供できれば、とても受け入れてもらいやすくなると考えています。もちろん加工の工程で白くするという考え方もありますが、できればそこではなく、ゲノム編集で、元から白い品種を作ることができたら理想です。

――なるほど、タンパク質に富んだ食材が、小麦粉とかマッシュポテトのような白い粉末として提供されたら、料理の材料としては格段に使いやすいですね。

渡邉　そのほかエビやカニのように一部の人にアレルギーを起こさせる成分があればそれを低減させていくなど、ネガティブ要因を取り除くことを優先していきます。その次の段階で、速く大きく育つとか、おとなしいとか、畜産のプロセスにおいて有利な系統を作っていく、そんな順序です。

――科学技術の力でそこまで踏み込まれているということは、過去何万年にわたって人類が積み重ねてきた農業や畜産業のノウハウを一瞬で追い越す可能性すらあるということではないか、と感じています。人類が自らの手で、理想の食材を開発する瞬間といえるのではないかと。

渡邉　経営者としては肯定したいところですが（笑）、科学者とし

飼育室。研究と生産を同時に行う。

ては、簡単に頷けないんです。というのは、生物としての基本を逸脱したものを作るわけにはいきませんから。

研究と事業、二足のわらじで

——渡邉先生がユニークなところは、これまでの話を研究だけに終わらせていないというところです。大学で研究を続けながら会社も立ち上げて、食用化への事業展開も自ら手がけている。大学発フードテックベンチャー、グリラス社の事業について教えてください。

渡邉　基幹としているのは、食品として広く普及させていくことです。コオロギを生産してそれを様々な食品メーカーや飲食店の方に使って頂く事業が、まずはメインになりま

廃校を活用したグリラス社のコオロギ養殖拠点。

す。並行して、付加価値の高い製品を自社で開発して製造販売していくことを、すでに始めています。こういうことを積み重ねることで、コオロギを食べる生活をごく当たり前のことにしていくのが第一歩だと思っています。

もちろん様々なところで取り扱ってもらうためには、供給量が十分に確保できていることが不可欠になります。現在複数の自社ファームで養殖していますが、今後必要な量を考えると数千トン単位になりますから、当社だけで全ての需要を満たすことはおそらくできないと考えています。我々から飼育ノウハウや餌、そしてコオロギそのものも供給しながら、様々な方々とパートナーシップを組んで生産拠点を増やしていく必要がありますね。その他には、機能性食品の領域での展開を考えています。コオロギの研究過程で、様々な機能性成分を発見しているんです。それらを抽出し濃縮した製品を開発し、ウェルネスの分野へ進出も果たしたい、と。さらに飼料用としての、他の家畜の餌としての活用も計画しています。

グリラス社のコオロギ食品は「シートリア」ブランドで様々な形で商品化されている（写真はクッキーとチョコクランチ）。

――普通の食べ物としての普及をまず重要視されているというスタンスですね、他社とのコラボレーションも、多方面への商品開発も、その目的のためというのが揺るがないところですね。

渡邉　そうです。研究者としては、研究成果を見せてこれは食用としてとても良いものですということを訴えて、それで一般の人がどんどん食べてくれるようになればいいんですが、そんな簡単な話ではないですからね。やはり商品としてしっかりしたものを多く出して、一般の方々に、日常の中で目にしてもらうことがまず大切だと考えます。スーパーでもコンビニでもごく日常的に目にするようになれば、深層心理的にそれらを普通のものとして受け入れてもらえるようになると思います。

――カレー屋に行ったらチキンカレーもあってビーフカレーもあるけどコオロギカレーもあるよと、例えばそういう風景が普通のものになることですね。

宇宙食としての可能性も

――昆虫食の将来的な可能性について、ややSF的な夢みたいなことまで、お考えを聞かせてください。

渡邉　近未来に確立したいのは、サーキュラーフード……循環型の、ロスの少ない食料の生産体制です。例えば農業による生産物の中の非可食部や、加工の際の残渣（ざんさ）を利用します。葉っぱを食べる野菜でしたら茎（くき）や根の部分は土に埋め戻したりしているわけですが、そういうものを餌として活用する技術を開発中です。コオロギを育てる際に発生する糞（ふん）は農作物の肥料として使う。そんな循環型のコオロギ生産体制を構築することです。すでにグリラスのシステム内ではほぼ廃棄物ゼロの生産体制を作り上げています。これをさらに安定化させ、効率化させることを目指しています。未来の話をしますと、そういった試みの延長線上に、宇宙食としての活用が見えてくるんです。

——宇宙食に昆虫を使うということですか！　ただ宇宙に持っていくというだけでなく、宇宙船内や別の天体上で生産ということまで考えると、確かにサーキュラーフードとしての特性が有効になりますね。

渡邉　内閣府が主催するムーンショット型開発事業として、国内11の研究機関合同で、昆虫を核にした持続可能な食料生産の研究開発を進めています。その大きな目標として、宇宙空間での動物性タンパク質の供給源としてコオロギを使っていこうというビジョンがあります。SF映画では宇宙でカイコを食べる場面がありましたが、カイコは桑の葉しか食べません。養殖するためには、同時に桑も生育させる必要があり、これは実際には困難です。コオロギは人間と食性が近いので、宇宙で育てやすい野菜の、人間が食べないところをどんどん食べさせることができます。閉鎖空間で資源を効率的に活用するシステムの一部を、我々のノウハウで担うことができるのではと。

乾燥段階のコオロギ。
このあとさらに処理され粉末状態で出荷される。

――夢がありますね！

ブームになってはいけない

――先生は普段、自宅で昆虫を料理して食べたりは……？

渡邉　ほとんどしないですね。ごく普通の食事をしていますよ（笑）。

――ここまでのお話で予想はしていたのですが、「毎日いろんな虫を料理して食べてます！」なんて発言されないところが渡邉先生のいいところです（笑）。

渡邉　コオロギフードによってドラスティックに食生活が変わるというところまではいかないと思っています。既存の食生活の中に、フードテックを活用した新食材を取り入れていこう、というくらいのところから始まると予想します。フードテックとしては大豆ミートもあり、培養肉もあり、そしてコオロギもあり、というように、ごくナチュラルな選択肢として提示できれば良い、と。牛肉を作るのをやめさせろとかそういうことを言うつもりは全くないんです。

――昆虫食は瞬間風速的な注目を集められるテーマでもあると思います。個人的な話になりますが、最初にグリラスのコオロギパウダーを使ったクッキーを店頭で見かけた時「コオロギの原形が残っていた方が面白いのに」と考えてしまいました。この「面白い」という気持ちは、毎日普通に食べるものに対するものではないわけですよね。もしコオロギがそのままの形で使われたクッキーだったら、一度は買うけれど二度と買わない、そういうものになってしまう。

渡邉　面白い食べものになる、ネタとして消費される、というのは望むところではないんです。ごく自然に試してもらいたい。そしていけるじゃないかと思ったら、また食べてもらいたい。そういうことの積み重ねで、先に進んでいけたらと思っています。昆虫を食べるということの物珍しさで注目を集めた方がパブリシティ効果は高いと思いますが、ゲテモノになったら一般的な持続性のある普及には至りませんから。

――渡邉先生はそのバランス感覚が見事だと思います。もう一つ、昆虫食の特殊性、特別性が強調されすぎると、過激な支持者を生み出してしまう可能性もあります。「私は動物愛護の立場から昆虫だけを食べて生きています」……そんな人たちが現れて、牛や豚を食べる行為を攻撃し始めたりとか。血の滴るステーキなんて残酷だ、もってのほかだ、みたいに。SF作家としてはそういうことを面白がってしまうところもあるんですが(笑)。

渡邉　それは我々が望む、未来と真逆の方向性なんです。安易にそこに行ってしまうと、この産業は終わります。

＊

渡邉先生には、食用コオロギないし昆虫の食用化というテーマが盛り上がることをむしろ懸念しているスタンスがあった。話を深く聞いて、その真意が理解できた。昆虫食は、話題としてキャッチーすぎるのである。食はエンターテインメントであっても良いが、本来もっと根源的なもの、生命活動に直結した要素なのである。単なる話題として消費されたら、それは安定的なものにはならないのだ。

昆虫食は、僕が抱いていた「楽しいからブームになりえる」というレベルのテーマではなかった。1000年単位で人類の生活を変える、支えていくようなものとして捉えるべき課題だったのだ。

「マスメディア」の視野はせいぜい数日間の話題を観測するものだ。

「ビジネス」の視野はそれよりも長期の動向を捉えるが、それでもせいぜい1年から数年といったところだ。ブームを作りその年度の収益を上げることができたら、経営的には成功となる。

「科学者」の視野は、それらとは比較できないほど長大なものを見る。その視座を持ちつつビジネスを展開し、マスメディアに発信する。そういう才能は貴重である。

beyond the future

その先の未来

バグタリアン

SDGsの観点からみても、栄養価や生産効率からみても、その優位性ははっきりしている。昆虫が食料として定着していくことは間違いないだろう。

タンパク源としては完璧だし、ビタミンやミネラルも豊富だ。昆虫だけを食べて健康を維持することは、野菜だけを食べるよりずっと簡単だと思われる。早晩、そんな人々「バグタリアン」が出現することも予想される。彼らがこの食文化を牽引していってくれることを期待する。

ただ一つ懸念材料があるとしたら、そこから過激化する人々が出現することだ。昨今、欧米の一部狂信的ビーガンの活動を見ると、それは容易に予想できる。

「牛や豚の血の滴る肉を料理して口に入れる人々は、野蛮人だ。知性のある生き物の、死体を食べているのだから」

「地球環境のためにも、牛や豚はもうだめなんだ！　育てるために資源をものすごく浪費するから。それに牛のげっぷのせいで地球の温暖化が進んでるって知ってるだろう？　そんなものを食べ続けていたら、人類はいつか滅びるよ」

「哺乳類や鳥類、両生類だって、殺される時には鳴いて叫んで痛がるじゃないか。昆虫には痛いとか苦しいって感覚はないらしいから、殺して食べても、可哀想じゃないんだ」

……2030年、狂信的バグタリアンはこんなことを言うかもしれない。

牛肉を食べる人も野菜を食べる人も、昆虫を食べる人も、仲良く暮らせる世界であってほしい。だから昆虫食のスタート地点と言える今ここで、あえて言う。その最初の一口の時、注意してほしい。それがどんなに美味しくても、それでどんなに元気が出ても、熱狂しすぎないように。

遺伝子検査

配られたカードを、めくってみよう。

人間の設計図である「遺伝子」。これを解析すれば、その個人の生まれつきの資質を明らかにすることができる。

それは細胞のほんの一かけらがあれば可能な作業だ。血液を採取したりする必要もなく、唾液（だえき）2ccで十分。それだけで様々な資質がわかってしまう。お酒には強いか。どんな病気にかかりやすいか。どんなことが得意でどんなことが苦手か。効果的な勉強方法は。ダイエット方法は……。

自分のそういう情報を知ると、生き方や暮らし方はずいぶん変わってくるはずだ。仕事選びも、人付き合いも、趣味も、運動も。

株式会社ジーンクエストは日本初の個人向け大規模遺伝子解析サービスを展開しているベンチャーである。

僕も実際にこの診断を受けた。検査方法は拍子抜けするほど簡単だった。どこかに出向く必要はなく、宅配便で送られてくるカプセルに唾液を入れて送り返すだけ。

価格はフルパックで税込み3万2780円。ほんの20年ほど前には、ヒトの遺伝子の解析には100億円かかると言われていた。そのコストが5桁いや6桁も下がったのである。

1ヶ月ほどで結果が出る。本人専用のウェブページ上で確認することができる。

例えば「腰のくびれ（ウエスト／ヒップ比）」の項目を見ると、僕は「比較的腰がくびれているタイプ」と表現されている。表現は曖昧だがこれが3段階の中で最高（他は「腰がややくびれていないタイプ」と「比較的腰がくびれていないタイプ」）であり、「日本人の3・9％があなたと同じ遺伝子型（TT）です」とある。つまり僕は日本人の上位3・9％に入る腰くびれタイプであるということだ。その素質が僕自身に役立つことはないだろうが、ナイスバディの子供を産みたい女性は僕と結婚すればいいと思う。

とまあこのような診断結果が、大量に並んでいる。朝型か夜型か。どういう病気になりやすいか。新型コロナ重症化（炎症反応）のリスク。さらには新型コロナワクチン副反応のリスクなんてのも出ている。

アルコールやニコチンの依存症になる可能性は。猫アレルギーや不眠症を発症しやすいか。男性型脱毛症つまりハゲには、メタボリックシンドロームつまりデブには、なりやすいかどうか。

腰痛になりやすいか。

短距離走者と長距離走者どちらに多いタイプか。

カフェインがききやすいか。さらには、カフェイン摂取で運動パフォーマンスが向上しやすいかどうか。
95歳以上まで生きる可能性は。
英単語の読み書きや発音能力は。
糖質代謝、脂質代謝どちらが低いか。
蚊に刺されやすいか。
虫歯になりやすいか。
ストレスに耐性があるか。
祖先はどこから来たか。

……あらゆる属性について教えてくれる。「当たってる」なんて言い方をしたら叱られそうだが、どれもこれも頷けるのだ。わかっていても意識してこなかったようなことも多く、リスクを言われたことについては気をつけなくてはと本気で思うのである。

面白い。どんな読み物よりもYouTube動画よりも面白い。今回これだけでも原稿はできる、と一瞬思ったのだが、ただし僕の遺伝子を面白がれるのは僕だけなのだ。

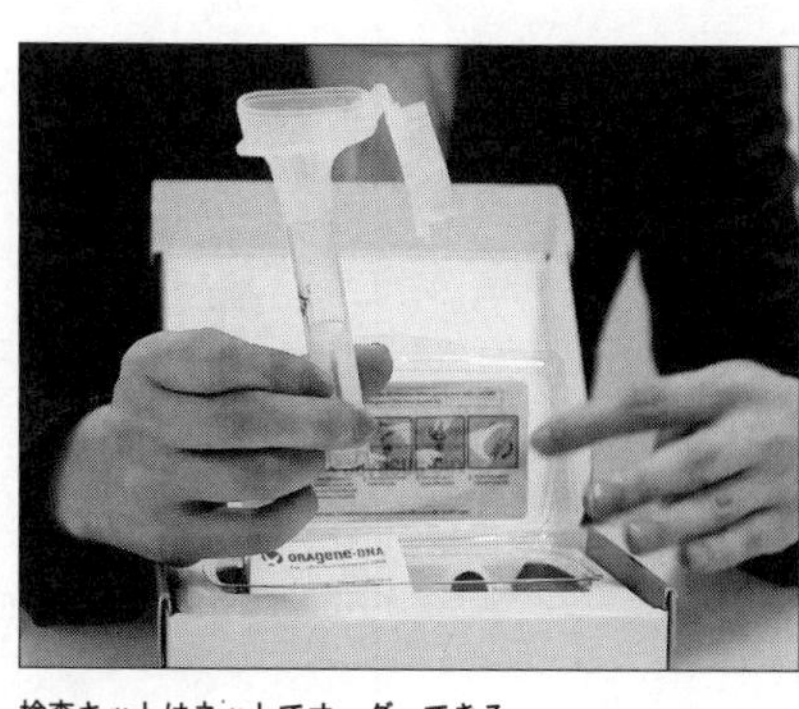

検査キットはネットでオーダーできる。
カプセルに唾液を入れて返送する。

株式会社ジーンクエストを訪ね、岩田修副社長に話を伺った。
（取材・2022年12月13日）

一生涯楽しめるエンターテインメント

——今遺伝子検査はこんなにお手軽に受けられること、そしてここまで詳しく結果が出るということに驚きました。具体的には、どのように調べているのでしょうか。

岩田　遺伝子情報は膨大ですが、その99・9%は人類共通です。受け取った唾液から我々が実際に解析をしているのはDNAの中の個人差のある部分です。具体的に言うと遺伝子の全配列は30億文字ぐらいあるのですが、そのうちの1／1000、さらにその中の70万ヶ所程度、この部分に限って読み取って遺伝子検査を行い結果をお返ししています。

——結果報告の内容が多岐にわたっていることにも驚きました。

岩田　はい、検査結果は今のところ350項目程度作成しています。ただしどれくらい明確な結果をお伝えできるかということには、項目によってばらつきがあります。

——確かに「……のリスクが最も高いタイプです」というように曖昧な言い方をしているものが多い印象ですが、全ての結果に円グラフがついていて、日本人の何%が自分と同じタイプかということがわかるように表示されていますよね。

岩田　遺伝子と資質との関係性に強弱があることが原因なんです。例えばお酒の強さについてはほぼ遺伝で決定します。飲み方とか体調とかによってコントロールできる部分はありますが、もともとの能力は生まれつきで決まっていて、これは生涯変わることはありませ

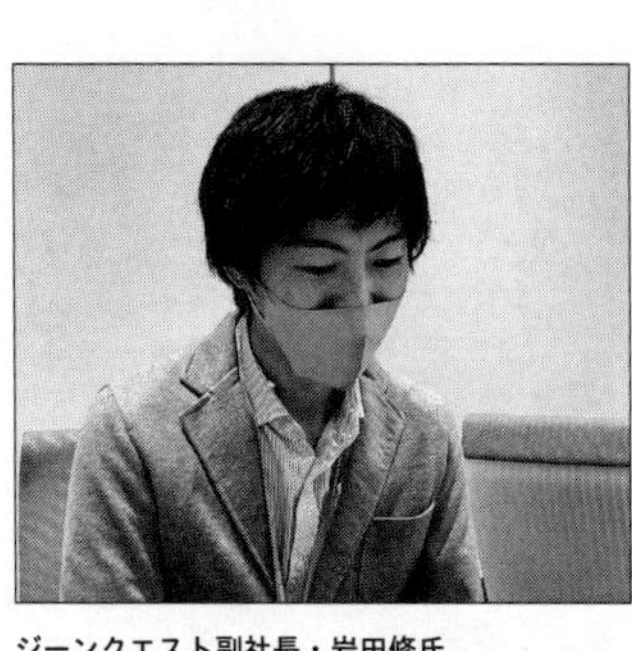

ジーンクエスト副社長・岩田修氏

ん。一方で性格、例えば忍耐性といった項目については遺伝要素はおおよそ3割と言われています。ですからある程度の幅をもって結果をお伝えしているものもあるわけです。検査結果にはその分析の裏付けとなった研究の文献や論文を紐付けていますので、必要であれば統計的データと照合して数値を確かめて頂くことも可能です。

——診断結果は生活スタイルの指針として活用させてもらえる実用的なものでしたが、純粋に読み物としても愉しむことができました。また、結果が後からどんどん追加されていくことも、とても楽しいですね。最初の結果通知から数週間後に、またメールが届きました。あなたのDNAタイプについてその後こんな特性がわかりました、と。以降も毎月のように届いています。このサービスは、一度受けるとずっと続くものだったんですね。

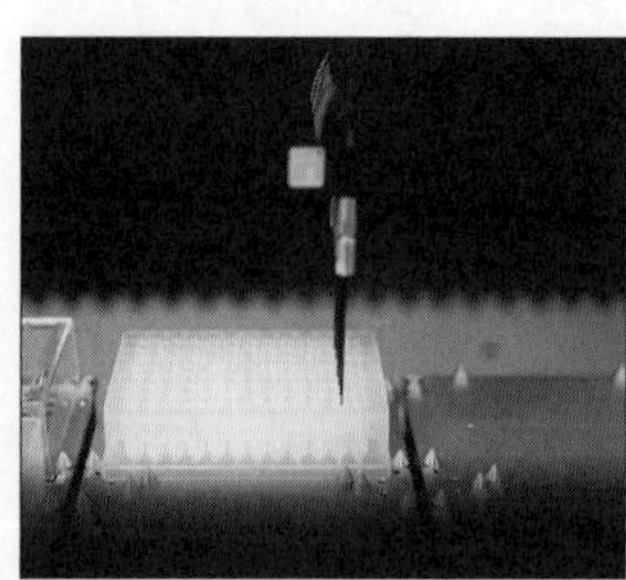

作業のほぼ全過程は自動化されており、短期間に大量の試料を分析できるシステムが完成している。

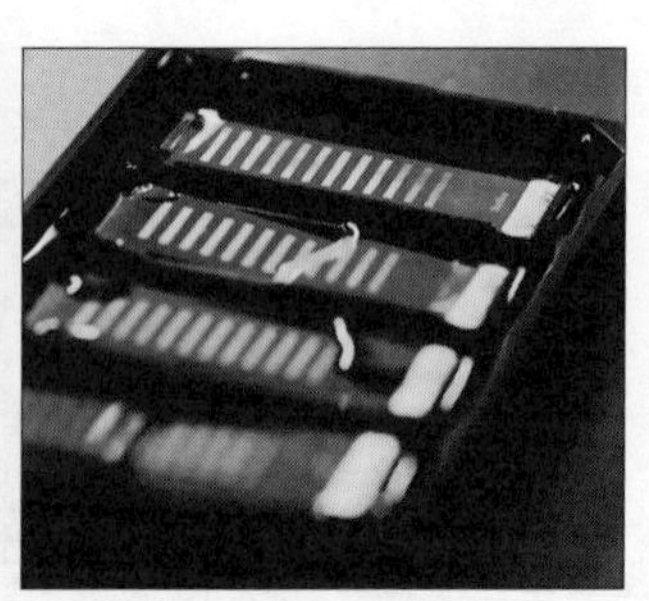

個々人の遺伝子を流し込んだDNAチップを液体に浸し、分子レベルの解析を行う。

岩田　はい、遺伝子研究が進み新たな結果を提供することができるようになるたびに情報を追加しています。そのぶんは無償でお届けしています。ジーンクエスト側にとっても、調べ続けることにメリットがあるんです。

――検査の際にたくさんのアンケートに答えさせられました。年齢や出身地、身体のサイズから始まって、睡眠時間、飲酒や喫煙、病気の履歴といった基本的な項目から、食べ物なら個々の食材をどれくらいの頻度で食べるか、運動ならどのようなスポーツを何歳から始めてどれくらいやっているかなどまで、微に入り細を穿つ内容でした。このアンケートも、追加情報を見るためにサイトを訪れるたびに新しい質問が追加されています。分析はずっと続いているんですね。

岩田　ご協力ありがとうございます。その通りです。アンケートは匿名化された上で処理され、遺伝子研究に活用されています。ユーザーはこれに詳しく正しく答えることで、

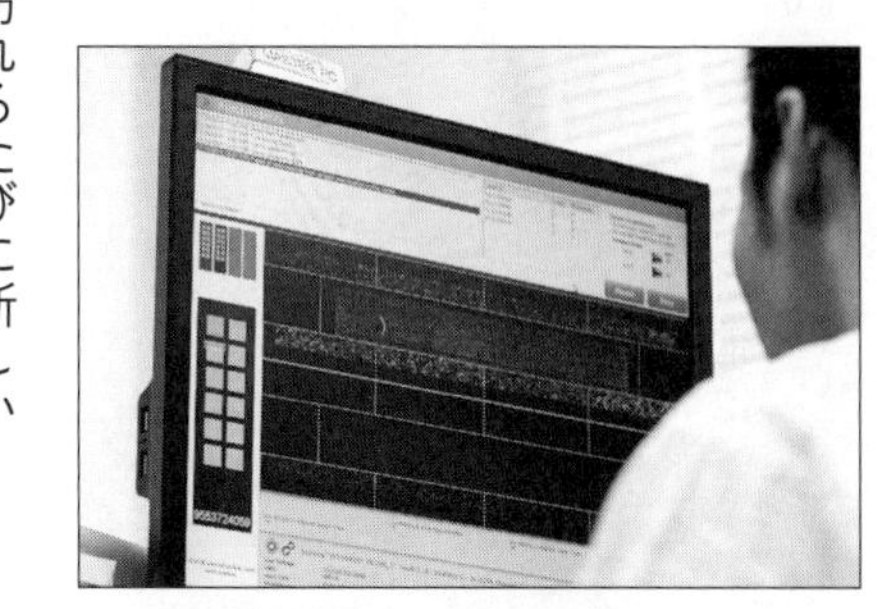
ゲノム解析技術の進歩とハードウェアの性能向上により、解析の時間と費用が劇的に下がったことがこのサービスを可能にした。

将来的にさらに多様な情報を得られる仕組みです。

——そこが一番面白いと思えたところなんです。DNAの特性とこのアンケートを組み合わせることによって、統計的手法も使って個人の特質を見抜いていくということですよね。つまりユーザーが増えてジーンクエスト社のデータが増えるにつれて、わかることが増え、そして精度も上がっていく。

岩田 そうです。DNAの中の個人差がある部分についてデータをとっていると最初に説明しましたが、違いがあるということしかわかっていない、実際にはどの機能に関係しているかわからない部分もあって。そういう部分もそのままデータを読み取り、保管しています。それが後になって研究が進んだり有意なレベルの統計数値が現れたりして、何かの特徴に関係していると判明したら、その時点でご報告できるんです。

——原因と結果をそれぞれ大量に入力していくことで、理由は説明できないけれど確実につながっているという組み合わせが浮かび上がってくるかもしれない、と。例えばアンケートの結果から起業の成功者に共通する遺伝子が洗い出されたとしたら、その遺伝子を持つ人に「あなたは起業に向いています」と伝えたり。原因と結果の間に思いもかけない結びつきがあるかもしれない。遺伝子の構造を分子レベルで解明して、この部分が脳のこういう機能に影響して、というようなことがわからなくても、結果が出ていればそれが真実だと理解しても良い。これはAIの深層学習的なアルゴリズムです。アンケートのデータが積み重なれば、人間の個性やその未来の可能性について、高い確率で推測できるようになりそうですね！

岩田　ただ、これはもちろん万能ではありません。遺伝子によって決められていることとそうでないことがあります。遺伝子検査で何でもわかる、という誤解は生まないように注意してアナウンスしています。

――なるほど。エセ科学にありがちな、万能の千里眼として期待されてしまうと困りますよね。ただ、個人的には、従来の科学が踏み込まなかったところにまでどんどん入って行ってほしいと期待しているんです。誤解を恐れずに言えば、遺伝子診断は、かつて宗教や占いが担っていたところまでを引き受けていく可能性があると考えています。ただ違うのは、科学の裏付けがあることです。

岩田　占いとの類似は意識することはありますね。従来の占いも裏付けがなかったわけではないんです。例えば手相占いの熟練者はもしかしたら遺伝情報を調べていたのかもしれません。手相と称されるしわの一部は遺伝情報とリンクしている可能性もあります。個人の情報と統計的なデータをすり合わせて、体調や疾病リスクを弾き出しては伝えていたとも考えられます。

——そういえば最近「手のしわ」についてのアンケートも追加されていました。これで手相占いが科学的に解明できたら面白いです。占いも、歴史のあるものは統計学の一つと考えられます。占いが何千年もの時間をかけて積み上げてきた統計情報を、今の時代は一瞬で作り出すことができるわけですね。

ミクロデータとビッグデータを同時に見る

――ジーンクエストの特徴は、遺伝子という極小の世界のデータと、十万人規模のユーザーの動向を大きく捉えたデータを、同時並行で研究、分析し続けていることだと思います。ミクロデータとビッグデータが、研究とビジネスという2つの車輪と相関していることがわかります。ところで岩田さんは理系の学問を修めてから、証券アナリストをされていたと伺っています。

岩田　はい、もともと研究畑出身なんですが証券会社でも理系の知識やノウハウが必要な場所があり、しばらく仕事をしていました。

――昨今は経済領域でも、理系のハイレベルな学術知識が必要とされていると聞きます。ミクロデータとビッグデータの両方を捉えることがとても重要になっているからだと言えると思います。理系と文系の境界は変化していかざるを得ませんね。

岩田　遺伝子に限らず膨大なデータを処理することが簡単にできるようになったことが大きいと思います。ビジネスもサービスも、それで激変しています。当社は代表の高橋（祥子）の〝研究結果をリアルタイムで社会に還元したい〟という思いから始まった事業です。従来は、理系の研究者が出した研究結果が社会実装されるまでかなり長い時間がかかることが多かったわけですが、データドリブンの時代になると別の展開が望めるわけです。

――理系はラボにこもって研究を続けていてください、文系がスーツを着て商売は進めていきます、というような発想は既に廃れていると言えますね。ジーンクエスト社のビジネスモデルで絶妙だと思えたのが、事業を進めることつまり多くの人々の遺伝子検査を行うことが、研究を進めることにつながっているという仕組みです。

岩田　データが集まれば集まるほど研究が進んで成果が増えます。その結果、お客様にフィードバックできることがさらに多くなるわけです。

――売上げが伸びるほど過去のユーザーに返せるものも多くなるということですよね。どんどん事業を広げて、どんどん儲けてください（笑）。

どこまで知るべきか

――統計データが充実することが研究を加速させるということから、検査を受けた人々のその後の追跡調査がとても大切になりますよね。追加アンケートを定期的に実施されていますが、全人生を細かく追跡することが望ましいと考えています。年齢によって健康状態はどう変化したか。その後の学歴は。就業した職種は。どんな仕事でどれくらいの実績を残すことができたか。人間関係は。結婚相手は。幸福度は。さらには寿命は……と。アンケート形式でそこまで調べることは難しいと思いますが、今は個人のライフログが自動的にネットに上がっていく仕組みができつつあります。各人のスマホやSNSとリンケージすることで、こんな遺伝子の人はこんな人生を過ごしているということが自動的にアップロードされビッグデータが充実していく、そういう状況をイメージしています。

岩田　遺伝子データは個人情報なので使用には制限がかかることになりますが、今の時点で可能性があるのはマイナンバーとのリンケージです。マイナンバーに医療情報が紐付くことは決まっていますので、これをさらに遺伝子情報と結びつけられるようになると可能性が劇的に広がります。生まれつきの資質とリアルタイムの健康状態から、日常生活への様々なアドバイスが具体的にできるようになります。

――その先の展開はハイスピードで進みそうです。既におくすり情報とのリンケージは実現されていますよね。

岩田　我々の検査結果をもとに、今処方されている薬剤が遺伝子的な体質に合っているかどうかを判断するというところまでは実現しています。

――アメリカではアンジェリーナ・ジョリーが遺伝子検査の結果から将来的に乳がんになる可能性が高いという警告を受けて、まだ全くその兆候(ちょうこう)がないにも関わらず乳房切除の手術を受けています。ジーンクエスト社の遺伝子検査ではそのレベルの警告は行わないのですか。

岩田　はい。今のところは医師の診断とみなされるレベルのものは返していません。それは医療行為に踏み込むことになりますから。疾患によっては可能性というより確実性といえるところまでわかることがありますが、残念ながらお客様にお伝えできないものもあります。

――難しいところですね。例えば近い将来極めて高い確率でがんになるとわかったとしたら、ユーザーとしてはその情報はぜひとも欲しいです。

岩田　どこまで告知するかについては、さらに倫理的な問題もはらんでいます。遺伝子検査が遺伝子差別につながる危険性もありますから。

――がんになりやすいと診断されてしまうとがん保険に入りにくくなってしまう、といった状況は許されないということですよね？

岩田　保険に関して言えば、消費者側は判断材料として使えるという側面はあります。遺伝子検査の結果から自分が罹りやすい病気あるいは罹りにくい病気をある程度知り、それをもとに保険を選ぶというようなことは既に始まっています。保険の世界では逆選択という言葉になります。

――つまり誰かに判断してもらう、教えてもらうという姿勢ではなく、自分で決断していかなければならない時代になっているということですね。倫理問題については議論をつくしていく必要があります。例えば、遺伝子でわかる危険性や可能性を、若い人に教えるべきかどうか。

岩田　当社のサービスは18歳未満は対象外です。法律の規制はないのですが、経産省のガイドラインに則しての判断です。例えば子供がどのスポーツに向いているか調べたいというような声はよく頂くのですが、未成年の場合、人によっては結果に対して正しい解釈ができない恐れがあるということですね。

――うーん。個人的には、遺伝子検査はできるだけ早く受けたほうがいいと思います。自分の資質を知るのは若ければ若いほどいいと。将来身長が160センチ以上にはならないと判明した子供に対して、君はプロのバスケット選手にはなれないよと伝えるのは残酷なことではないでしょう。選択肢は無限にあります。例えばサッカーの選手にはなれるかもしれないわけですから。

岩田　はい、若いうちに知って頂きたいと、私も思います。可能性を狭める(せば)ことにはならない、むしろ広げる手助けになると信じています。身長が相対的に低いとわかった時に、バスケットやバレーには向かないということよりも、体操や競艇(きょうてい)では強みになるかもしれないという情報のほうが重要なのです。さらには、具体的な練習方法なども自分に合ったものが選べるようになるはずです。

——そういう意味で、結果の伝え方はとても大事ですね。未来を否定するのではなく、ポジティブな方の可能性をきちんと示す、と。

岩田　現在のユーザーは全員成人ですが、結果をお伝えする際、その点を特に留意しています。ネガティブな結果についても、マイナス面ばかりを強調せず、この才能はないけれどこういう活かし方ならありますというような提示の仕方をするように心がけています。例えばお酒に強い人と弱い人がいますが、どちらにもメリットデメリットがあるわけです。

——わかります。僕はお酒はとても弱いんですが、今振り返るとそれで得をしたことも多かったんです。たくさんの面白い話を、シラフの頭で聞くことができましたから。ただし、成人する前にこの体質を自覚していたら、余計な苦労をせずに生きてこられたかもと思います（笑）。ジーンクエスト社のサイトでは、その資質を伝えてくれると同時に、酒に強い人、弱い人それぞれの健康方法、さらには世渡りの方法までを教えてくれています。僕らが若い時代には飲みニケーションという言葉もあって、お酒を飲めるようにならなくては仕事がスムーズに進まないという誤解がありました。訓練して酒が飲めるようになれと言われる会社もあったくらいです。生まれつきの資質によって飲めない人は、どう頑張っても飲めないということがわかっていたら無駄な苦労はしないで済んだはずなんですね。

岩田 以前とあるお酒のメーカーの社員の皆さんの遺伝子検査を行ったことがあるのですが、生まれつきお酒が飲める体質の人がとても多かったですね。

――お酒が飲めない人はもしかしたら辞めざるを得なかったのかもしれませんよね。あらかじめわかっていたら仕事選びの参考にできるような遺伝要素はとても多いのではないでしょうか。

岩田 企業の人事セクションからは、遺伝子情報を採用に活かせないか、あるいは人材の適材適所への配置に活かせないかという相談を受けることがよくあります。わかりやすい例で言うと、朝型夜型の資質は、配属先の決定に有用かもしれませんね。

——企業サイドからすれば、一人ひとりの生まれつきの資質に合わせた働き方を提示しなくてはならないということても大きな責務の伴う、建設的な流れなんでしょうね。例えば夜型遺伝子の人間は出社時間、退社時間を遅めにする、というようなことが認められるべきですし、企業だけでなく学校も同じです。現在、全ての子供たちが早起きして同じ時間に登校することを求められるわけですが、遺伝子的に生活リズムの違う子供にとってこれは虐待に他ならないですから。遺伝子の違いということをはっきりと認めることによって個人個人の資質に応じて自己実現を進めさせる、そういう社会を目指すべきです。

遺伝子データを活用して、仲間を見つける

——「95歳以上まで生きる可能性」という項目がありましたが、寿命予測についてはもっ

と細かく出してもらいたいのが本音です。あと何年生きられるか、ずばり教えてほしい。

岩田　寿命には生活環境が強く影響しますので遺伝子検査の結果だけから予測するのは難しいんです。

――生活スタイルをＳＮＳから拾ってリンケージするシステムができるといいなあと夢想しますね。ＳＮＳに入力された、何を食べたか、どんな運動をしたか、どれくらい寝たかといった情報を、生まれつきの遺伝子情報と組み合わせて余命を算出するわけです。例えば結婚相手を選ぶ際にも、年齢よりも余命のほうが重要だと思います。同年代の人ではなく、残り時間が同じ人を探すべきなんじゃないか、と。どうでしょう。

岩田　それは極端ですが健康リスクを考慮してベストなマッチングを弾き出すというのはありだと思います。マッチングサイトからの相談も頂いていまして、ここでもお酒が飲める飲めないなどの情報は有用なのではないかという提案をしたことがあります。あるいは忍耐力、外向性、開拓性といった生まれつきの性格も重要だと思います。

――キャリア志向の外交的女性と、内気なオタク男子の組み合わせなど、うまくいきそうですね。

岩田　ええ、いろいろなパターンが考えられるのですが、ただどういうマッチングがうまくいくかは、誰かが考えるのではなく、成功事例のデータから策定していくべきでしょうね。結婚相手だけでなく、友達とか仕事仲間とかを見つけられるコミュニティづくりのサポートも行っていきたいと考えています。そこでも、意外な属性でくくられることになるかもしれません。〝パクチーが好きな人のコミュニティ〟とか〝コーヒーを1日3杯以上飲む人のコミュニティ〟とか。そういう仲間で一緒に何かをやったらうまくいく、という事実が出てくるかもしれないですよね。

――なるほど、そういう人たちに共通する別の要素もあるはずですね。

岩田　お酒に弱い人はコーヒー好きな人が多かったり、お酒に強い人が太る原因は圧倒的に揚げ物だったり、いろいろなことがわかってきていて、一つの遺伝子要素から生活スタイルについて多くのアドバイスができるようになっています。そこからさらに広げて、見えない繋がりでコミュニティを作っていくという可能性もあると思います。

バーチャル世界に遺伝子的分身を作る

——他にはどのような展開が考えられるでしょうか。

岩田　遺伝情報があれば似顔絵が作れるようになっていますから、モンタージュ写真のように犯罪捜査に使うということも考えられます。あるいは、自分がどの戦国武将の家系に近いかを調べるサービスもやってみたいですね。これは子孫の方々の協力を得ることができたら可能です。

——遺伝子情報は後世に残すという意味でも大切ですね。僕は今回遺伝子検査を受けて、これはお墓を作るよりも重要な作業だと思いました。自分の遺伝情報は、自分の子孫に必要とされる可能性があります。今後遺伝子治療の技術が発達したら、ある種の病気を治すために先祖の遺伝子データが有用になる、というような事態が起こるでしょう。その時、お墓に焼いた後の骨が残っていてもあまり役には立ちません。

岩田　個人の遺伝子情報からアバターを作り、メタバース上に残しておくサービスも考えています。お墓や仏壇の代わりに、遺伝子的に正確な3Dのご先祖様を、メタバース上で呼び出すことができるようになるわけです。

――そのアバターの中には遺伝情報だけでなく、生前のいろいろな情報を詰め込んでおけることが重要です。見た目だけでなく様々な資質を内包しているものになるはずですね。本人のように活動し反応するアバターが、理論的には可能です。それはもちろん本人が生きているうちにも役立つものです。様々な刺激を与えることによって病気になったり、健康になったりするわけですから、シミュレーションに使えます。そしてそのまま本人の死後も生き延びるわけです。僕は究極のお墓はピラミッドだと思っています。ファラオは自分のDNAをミイラにして保存して、自分の功績を副葬美術品や金銀財宝として保存しようとした。岩田さんが提案するDNAアバターは、ファラオが願ったことを誰にでも叶えるものです。遺伝子をバックアップすることは、自分自身を、アイデンティティーを未来永劫保存するということ。それがお墓に代わるものになりえると考えるんです。

岩田　はい。遺伝子を扱いつつ、これがレガシーとなっていくだろうということを考えています。遠い未来には『ジュラシック・パーク』のように、遺伝子から過去の人間を再生するなんてことだって、ありえるかもしれません（笑）。

＊

少し前に「親ガチャ」という言葉が流行（はや）った。経済的な環境だけでなく、容姿や才能など、親から受け継いだもので人生の多くが決まってしまうということに気づき嘆息する若者に使われた用語だ。

どうやら近い将来、親ガチャの結果をはっきりとカードにして突きつけられる時代がやってくるようだ。いやこれまでもカードは存在していた。ただ僕らはそれをめくらずに、知らずに生きていた。

それが幸せだったとは言い難い。めくることはなくても、それを使っての勝負は、行われていたのだから。人生において、避けがたい勝負は何度も何度もやってくるものだった。ならば自分の手札は、教えてほしいと思う。知ることは怖い。どうしようもないクソハンドだったら、生きていく気力がなくなってしまうのではないか。そんなことを恐れる人は多いだろうが、しかし大事なことは、どんなカードにも活かし方はあるということだ。知った上でブラフを効かせることもできる。組み合わせ次第で化けることもある、ハイカードが最後の1枚でロイヤルストレートフラッシュになることも、ある。

そういうことをこれまでは運だけに頼っていたわけだ。

遺伝子検査は「配られたカードでどう戦うか」を、しっかりと考えるきっかけになるものだ。僕は残りの人生を、無理して酒を飲まず、腰のくびれを武器にして、なんとか乗り切っていこうと思う。

年齢より余命

ＤＮＡ診断の技術は日進月歩である。今後、個人の疾患発症リスクや細胞老化の速度などが緻密にはじき出されるようになると、そこに生活習慣の傾向などの後天データを統合することで、その人間の「余命」がかなり正確に予想できるようになるはずだ。

社会はずいぶんと変容することだろう。例えば健康保険や年金などのシステムは平均寿命に基づいて設計されている。しかし60歳で死ぬ人も１００歳まで生きる人もいる。同じ50歳でも、あと10年生きる人とあと50年生きる人が同じ保険料なのは不公平なことだったのだ。

あるいは、大学や大学院に行くかどうか、どんな職種を選ぶか、そういうことも寿命を前提に決めることになるだろう。人間のデータとして年齢よりも「余命」を重要視するようになるのは必然だ。「私は50歳です」というデータより「私は@（あと）10歳です」というデータの方が有効になるのである。

適齢期の男女は「私は30歳です」というよりも「私は@40歳です」と自己紹介するようになるだろう。

30歳どうしで結婚するより、@40歳どうしで結婚した方がいい。年齢が30歳と50歳でも、お互い残り時間が同じ40年だとしたら、人生設計がしやすいではないか。

……という話を既に多くの人に対して熱弁しているのだが、なかなか理解してもらえない。皆、自分だけは無限に生きると思い込んでいるからである。

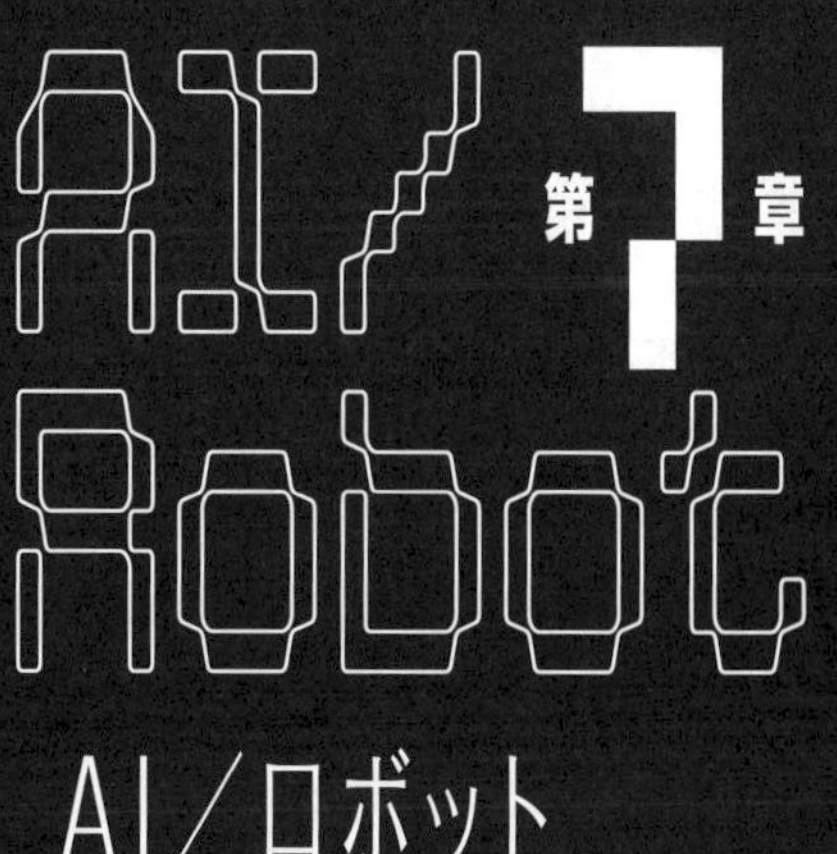

AI／ロボット

その存在と、どう付き合っていくか。

スマートスピーカーがアニメキャラクターの姿と声で語りかけてくる。VTuberの中の人がいつの間にかコンピュータに置き換わっている。そういうことがすでに始まっている。人間ではない、けれども人間と区別がつかない存在が日常にどんどん入りこんでくる時代が、もうやって来ている。

そういう存在と僕らはどう付き合っていくべきか。その先はどうなるのか。このテーマに、10年以上前から本格的に取り組んでいる人がいる。

三宅陽一郎（みやけよういちろう）氏は、ＡＩ研究の第一人者である。その仕事は研究室を飛び出し、例えばゲーム業界で数々の成果を残している。

『FINAL FANTASY XV』（２０１６年／スクウェア・エニックス）は、極めて広大かつ自由度の高い世界を冒険するゲームだ。そこでは味方や敵の、幾種類ものキャラクターが生き生きと行動する。特に主人公と旅をともにする仲間キャラクターの存在感は圧倒的だ。それぞれ個性と知性を持ち、自律的に行動し、会話してみせる。

彼らを作り上げるために最先端のＡＩテクノロジーが導入されている。その陣頭指揮をとったのが三宅氏だ。このタイトルは商業的に成功しただけではなく、世界のゲーム開発者、そしてＡＩ研究者に大きな衝撃を与えた。

高度に作り込まれたゲームは、現実のシミュレーターとしても機能する。三宅氏はそこで、非実在の人格を日常の中に迎えることを、どうやって成功させたのか。その経験と知見は、ロボットやデジタルヒューマンが進出してくる今後の現実社会にも、そのまま適用できるのではないか。

三宅氏の挑戦はもちろん『FINAL FANTASY XV』以降も続いている。10年先にいる人に、話を伺う。

（取材・2023年1月16日）

まず、ゲームで始まった

――ゲームにAIテクノロジーが求められるようになった理由は何でしょうか。

三宅 ファミコンやスーパーファミコンの時代までのゲームでは、キャラクターがどのタイミングでどの位置でどう動くかということがある程度限られていましたので、そのパターンは全てあらかじめ決定してプログラムに埋め込んでいました。変化は1995年頃、ゲームの空間が3Dになっていったことによって始まりました。キャラクターの挙動が格段に複雑になりました。障害物があった時に、まわりこんで避けるのか、かがんで下をくぐるのか、あるいは体を横にして隙間を通るのか。可能性が激増したため、動きを全てあらかじめ決めることは難しくなり、無理に対応させると不自然に見えることが多くなりました。そこで、キャラクターに自分で判断させて、自律的に動かせようという試みが、アメリカで始まったんですね。90年代後半、MITやスタンフォード大学あたりを中心に、ゲーム内で自律型AIを動かす研究が進みました。それに先駆けて進んでいたロボットの技術が、どっと入ってきました。

——その頃、日本のゲーム業界はどうだったんでしょうか。

三宅　日本は、その動きに後れをとってしまっていました。日本のゲームは、歴史的にそういう方向を志向していなかったんです。ゲー

スクウェア・エニックス AI 部
リード AI リサーチャー・三宅陽一郎氏

ム世界を、細部まで人間の手で作り込むべきだと。キャラクターの動きについても、その場その場で最高の動きをするように全てあらかじめ丁寧に決めておくべきだという考え方が主流でした。効率度外視の作り方ですが、実際、2D時代のゲームではそれができていたんです。

――確かに、その職人的な作り込みこそが、日本のゲームの良さと言われていました。

三宅 そうです。90年代〝洋ゲー〟という言葉があまり良くない意味に使われていたことを覚えていますか。

――はい、日本のゲームでも「洋ゲーっぽい」と評されるのは、決して褒め言葉ではありませんでした。

三宅 細部にこだわっていない、粗削り、雑、という印象のワードでした。けれども、粗い作り方になっていたのは、効率的にどんどんゲームを仕上げていく仕組みを作ろうとしていた過程のものだったんです。そんな考え方があったからこそ、そこにＡＩが求められた。広大なワールドを作ったらそこにＡＩを放り込んであとはよろしく、みたいなゲーム作りをイメージしていたんですね。それが90年代後半から２０００年代初頭に、アメリカで起きていたことです。それが次第に形になっていきます。複雑な地形に臨んだ際に進行ルートを見つけるとか、敵の接近を認識した時にどう身構えるか決めるとか、ＡＩキャラクターの能力は高度になっていきました。そして広大な空間で一人称プレイヤーが多数の敵と撃ち合いをするＦＰＳ（ファーストパーソン・シューティング）ゲームが出てきた頃から、真価を発揮しはじめるわけです。ＦＰＳはやがて大人気ジャンルとなり、１０００万本タイトルが続出するようになります。そのブームに日本のメーカーは乗れなかったんです。

――うーん。多くのクソゲーを作ってしまったりもしながら、洋ゲーの方向性は一つの正解へとつながっていたわけですね。そして、ＡＩ研究、ロボット研究など最先端のアカデミックフィールドとも結びついて着実に成果を出していったということには、アメリカのソフトウェア産業のダイナミズムを思い知らされます。その頃、日本の多くのメーカーは、大量にCGクリエーターを雇用して彼らの職人的な技量を鍛え上げることばかりに腐心していました。もしかしたらそれは間違っていたのかもと考えるとつらいですね。日本のゲームには、職人芸がある。心がある。それが強さの秘密なんだ、と、1980年代から世界を制覇していた日本のゲーム業界には、そういう自負があったと思います。今振り返ると、それが1990年代には必要な進歩を阻む足かせとなったのでは、と。ゲーム制作のシステム化、ゲームの挙動のオートマチック化に、手をつけなかった。当時のゲーム制作現場には、そういうことを言い出したら叱られるような雰囲気があったと言っても過言ではないと思います。優秀な職人さんが揃っているお寿司屋さんで「寿司ロボットを導入しましょう」と言ったら怒られますよね。そんな感じだったかもしれません。

三宅 日本のゲームは職人的な作り方で、2002〜2003年頃まではうまくいっていました。世界に対して圧勝していましたよね。ところがその後プレイステーション3やXbox360が登場して、ゲーム容量が急激に巨大化していきます。プレイヤーがどんな順番でどこに行っても良い、何をしても良いとまで思わせるオープンワールドゲームが主流になっていった時、その制作スタイルに限界が来ることは必然だったんです。遊園地くらいまでは全てのものを人工物で構築することができるけれども、一つの島国くらいになったら、もう無理ですよね。

――2000年代、残念ながら日本はお家芸だったゲームの覇権を奪われました。ふと気づくと1000万本超えのゲームは洋ゲーばかりになっていました。

三宅　はい。その状況に気づいて、日本の各メーカーが努力を始めたのが2010年頃でした。かなりの時間はかかったのですが、オープンワールド化以降、ゲームはそれほど拡大や進化を見せず足踏みをしている状況でしたので、その間に追いつくことができたんです。

――そこで三宅先生の功績も大きいと思っています。先生が学術の世界からゲーム業界に参入され、ゲームに本格的なＡＩ技術を持ち込まれたのが、その頃ですね。『FINAL FANTASY XV』が出た時には、日本のゲームＡＩが世界に追いつくことができたかもしれないと思いました。もちろん、それで安心するわけにはいかないですよね。業界を挙げてこのゲームの価値をきちんと分析した上で、そこから先を進めなくてはならない。

創作をAIに任せるようになるか

――現在の話になりますが、2022年後半から、いわゆる生成系AIが話題になっています。AIによる創作物、絵や小説や音楽がネット上に大量に溢れ、論議を呼んでいます。生成系AIは今後ゲームの制作にも導入されるでしょうか。

三宅　ゲーム産業はかなり前から生成系AIに対して意識的でした。AIによってゲームそのものを作り出していこうという技術はPCG（プロシージャル・コンテンツ・ジェネレーション）と呼ばれ、1980年代から使われていました。その草分けは『ローグ』（1980年）です。PCGによるマップの自動生成機能のおかげで、入るたびに形の変わるダン

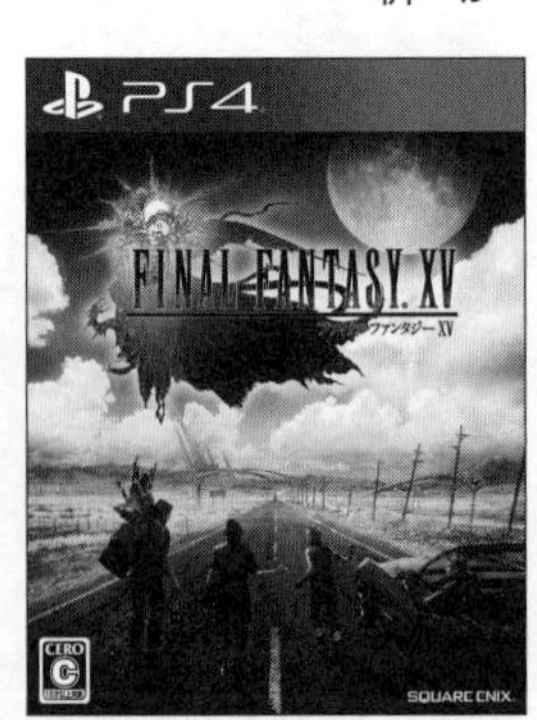

『FINAL FANTASY XV』（スクウェア・エニックス）

ジョンが実現していたんですね。

――『ローグ』以降、ローグライクというジャンルが成立していて、日本ではスパイク・チュンソフトの『不思議のダンジョン』シリーズが知られていますね。

三宅　そして欧米で2000年代、ゲームエンジンの中に自動生成を取り入れようという動きがあり、例えば広大な自然風景を舞台とするFPSなどでは、複雑な森の成形はほとんど自動生成で作られるようになっていきました。デザイナーが木の種類と密度を入力すると勝手にジャングルができあがっていくようなツールが開発されていました。そして制作プロセスにそういうものを取り入れていく過程で、どの部分のどこまでを人間が作るのか、どこからをプログラムに作らせるのかということについて深く考えられ、議論が重ねられたわけです。

――プロフェッショナルの視座から、昨今ネットで話題になって

『FINAL FANTASY XV の人工知能 ゲーム AI から見える未来』（ボーンデジタル）……『FINAL FANTASY XV』の開発記録を、特に AI 技術を活用することによるゲームデザイニングを主軸にまとめた書籍。

いる生成系AIについてはどう見ていますか。例えば2D絵画作品について、一般の人がAIを使って量産している作品群のクオリティーに、衝撃を受けている人は多いと思いますが。

三宅　2021年にOpenAIという人工知能研究所が発表した論文がきっかけになって、Stable DiffusionとかMidjourneyといった汎用画像生成系AIが公開されました。今はそれらを多くの人々が使うことによって2Dイラストレーション作品がたくさん公開されている状況ですね。2023年以降は、3D-CGの生成系AIが出てくると思われます。

——3Dですか！　なら、ゲーム制作も根底から変わってきますね。

三宅　ご存じの通り、3Dはものすごい人数のアーティストと時間が必要だった領域ですからね。まず大きく変わっていくのはインディーズの世界だと予想します。ローコスト、少人数でコンセプチュアルなゲームを作っているインディーズのチームが、人海戦術が必要だった大量のリソースの作り込みを、ＡＩを導入することで実現できるようになるわけです。

――インディーズでも、広大なオープンワールドのゲームを作れるようになるということですね。ではビッグタイトルについてはどうでしょう。大量のクリエーターを抱え、物量作戦にも耐えうる大手メーカーにはそれほど恩恵はないということでしょうか。

三宅　ハイエンドゲームの制作は、コストよりあくまでもクオリティー重視です。生成ツールで80点のものまでは作ることができるようになります。インディーズならそれで十分かもしれません。ただしＡＡＡタイトルの制作現場では、95点をどう98点、99点に持っていくかというレベルのせめぎあいを日々行っています。生成ツールが作ったものをそのまま使うということはないでしょうね。ただ、ＡＩに作らせた80点のものを、人間のアーティストがブラッシュアップして95点以上に仕上げていく、という作業プロセスは一般化すると思います。

――AIと人間の共同作業ですね。

三宅　例えばカマキリが巨大化したようなモンスターと指定すれば、AIならその候補を一瞬で100種類作ることもできます。そのまま使うことはなくても、それだけでも大きな省力化になります。今までは特徴に合致した動物の形状をリサーチしたり、試行錯誤しながら大量にスケッチを描いたりしていたわけですから。これからはその先、その100体の中から選んだり、組み合わせたり、ブラッシュアップしたりする、つまり最もクリエイティブな作業に労力を集中することができるわけです。そしてある程度方向が定まってきたらその候補をまた入力して、そこからさらに100種類作らせる、といったこともできる。

――なるほど、最初に希望の要素、いわゆる召喚の呪文を入れる作業と、最後に80点のものから100点に近づけていく作業は、人間が担当するというわけですね。

三宅　はい、具体的にはその接続部分、人間とAIがどのようにやりとりするかということとがディープラーニング以降のゲーム制作の最大のテーマとなるでしょう。

——Stable Diffusion や Midjourney でも、呪文の唱え方に苦労している人のコメントをよく見かけますが、プロの、しかも3Dの現場では、さらに複雑で繊細な入力が求められるのでしょうね。

三宅　ＡＩを完全に使いこなせるのは、今時点では専門家だけです。コンピュータでいうと１９７０年代頃の状況ですね。手が届くハードやソフトがあっても、それらはプログラムの知識がなければ動きませんでした。様々なユーザーインターフェイスが作られることによって、それを多くの人々が使いこなせるようになるのが次段階です。

——人材としてはＡＩに特化したエンジニアの育成が必要ということですか。

三宅　専門のエンジニアを増やすことだけではなく、コードを書かないゲームデザイナーやプランナーでも使えるようなＡＩツールを作成することが大切です。むしろ今は、そのツールをデザインする才能が求められています。

――そのツールは、はじめは制作者のための専門的なソフトウェアとして作られるのでしょうが、パソコンのOSのように大衆に広がり、人間がAIとやりとりをする、共同作業のためのインターフェイスになっていくかもしれませんね。

三宅 そう思います。そもそも、人間がコンピュータと快適に接することをサポートするインターフェイスこそが、デジタルゲームの命だったわけです。AIとの接点も、この業界が取り組んでいくべき課題だと思います。

――一般社会にAIをどう迎えるか。その鍵が、そこに存在すると思います。

三宅 ゲームと同じで、社会でも、高度なAIが出てきたとしてもそれが人間に取って代わるということはないんです。例えば小学校の現場で、教えることができる、監視も、採点もできる、そんなAIロボットがいたとしても、それにクラスを担任させることは不可能でしょう。ただ、そういう存在が人間の先生をサポートできたら、とても助かるはずです。ここで、人間とロボットの共同作業のやり方が重要になります。ＡＩの副担任に対して、人間の担任が、どう指示を出すか、どんなふうに付き合っていくか、ですね。

人間の役割は一層上に

――ゲーム制作の現場と同様、社会の様々な仕事の現場にもＡＩが入ってくるようになっても、80点を１００点に近づける仕事は、ずっと人間に残ると考えても良いのでしょうか。ＡＩがたとえ99点を作れるようになっても、１点ぶんの仕事が残れば、人間の価値は担保されると僕は思っているんですが。

三宅　私の仕事はＡＩの点数を上げていく、つまり人間が作る範囲をどんどん減らしていくことなんですが、それをやることで人間の役割が明確に見えてきます。かつてゲームデザイナーはゲームの全てのステージについて空間の形状を作り、そこを通過するキャラクターの動きも指定していました。そういう仕事を自律型ＡＩが担い、つまりゲームのキャラクターがその場その場で自分で判断して行うようになっているわけですが、次段階では、ＡＩが独自に行っているそのふるまいに、さらに指示をするＡＩが必要になるんです。例えば敵に出会った時、ただ勝つために戦うというだけでなく、あなたはそこでわざとやられてください、というような指示を出したり。あるいはやられ方も、ぎりぎりのタイミングで致命傷を受けて、たっぷり間をとってからばたりと倒れて、起き上がりかけてからもう一度倒れてください、というように、その場のプレイヤーを楽しませるために、詳しく演出するわけです。

――最善の動きを自分で判断して実行しているＡＩに対して、その演技を外側から見て、そのシーンをさらに盛り上げるために指示する、つまり映画における監督のような存在ですね。

三宅　その通りです。キャラクターＡＩに外側から指示を与える役割のＡＩを〝メタＡＩ〟

と呼んでいます。そして、そのメタＡＩのふるまいをデザインする仕事は人間が行います。人間の仕事は今、〝ＡＩの上のＡＩ〟を指示する作業になりつつあります。

――ＡＩは人間の仕事を無くしているのではなく、上の階層に移行させているということですね。ゲーム世界で生まれたメタＡＩは、今後は現実社会の中でも必要とされるようになるのでしょうか。

三宅　そうですね。現実社会にＡＩをインストールする際にも、メタＡＩがとても重要になります。例えばロボットも、一体一体がその内部に記憶や判断の機能を持つ形では、できることに限界があります。また、新しいロボットを導入するたびにその場所の情報を取り込んで、それに合わせて調整する時間が必要となります。環境をまるごと把握したメタＡＩから指示を出す形にすれば、すぐに高度で柔軟な行動をさせることができます。このメタＡＩをいかにデザインするかが、人間とロボットがスムーズに付き合おうとする時に、

とても重要になるんです。

——先生はロボットAIの研究も手掛けられています。人間とロボットの接点をいろいろと目撃されていると思います。

三宅　例えばオムロン社様と共同研究で、卓球ロボット「フォルフェウス」の人工知能の開発を行ったことがあります。卓球は、ロボットが上級者と高速なラリーを行うことができるようになっていますが、それだけではなく、人をより成長させるために楽しいラリーを続けさせる「人のモチベーションを高めるＡＩ」を開発することを試みました。それはロボット内部のＡＩではなく、メタＡＩの仕事によって可能になることです。オムロン社様のセンサーを使って、心拍数や表情などのデータをとってプレイヤーの心理状況をモニターしながらメタＡＩがロボットに指示を出します。スマッシュの強さを調整したり、返しやすいコースに打ったりと、相手の人間が気持ちよくプレイを続けられ上達できるようにするわけです。

――なるほど、人間でも上級者ならできることですよね。ただ勝つために高度な打ち返しをするとか、わざと負けてあげるというのではなく、程よいプレイを続けて相手の、人間のモチベーションを保たせるということも、ロボットの役割になるということでしょうか。

三宅　はい。ロボットと人間がうまく付き合うには、ＡＩに人間をしっかり見つめさせること、そして理解させることが重要だと考えます。メタＡＩの視点から、一人ひとりの人間が今何を考えているか、望んでいるかを推し量りながら対応させる。実はそういうことを、全てではありませんが、先進的なゲームではもうすでに実装しています。メタＡＩはプレイヤーの行動ログを観察しています。その人間の得意な動きや苦手な攻撃などを把握してそれをもとにリアルタイムでゲーム内容を、例えば敵キャラクターの強さなどを変化させているんです。そういうノウハウも、ＡＩが現実世界に進出してきた時にとても有効となるはずです。メタＡＩが、そこにいる人々の心拍数や目の動きを観察しながらロボットたちに指示をする。人間に合わせて各ロボットの挙動を微妙に調整させる。そういう作業を繰り返していくことで、メタＡＩは、関係する人間一人ひとりのことを、本人以上に理解するようになっていくでしょう。

——人間どうしのコミュニケーションでも、相手のことを見てその内面を推し量りながら対応することは基本にして奥義ですね。

三宅　これまではユーザーがゲームに合わせて遊んでいましたが、今はゲームがプレイヤーに合わせる技術がとても進んでいます。ＡＩは全ての人に役立つインフラとして提供されますが、人間を理解する能力によって、自動的にカスタマイズされます。そして、それを使っている人、一人のためだけに役立つものに進化します。

「召使い」ではなく「友達」として

——人間を理解させることが大事だという話はとても興味深いです。『FINAL FANTASY XV』の仲間キャラクターは、皆個性がとても強いのに、長い時間一緒にいても疲れない存在でした。AIが、こちらが気付かないところで気遣いつつ動いてくれていたということですね。AIによって身の回りの機械が、人間の仲間としての位置づけになっていく。その時、実質的に役立つ機能や知能だけではなく、一緒にいて心地良いと感じさせるような魅力が求められるはずです。その魅力とは顔かたちや声質の良さともまた違うものですよね。

三宅　ＡＩをそういう位置づけに迎え入れる、つまり仲間として認めていくということ自体が、とても日本的な感覚です。ＡＩをどう捉えるかは、そもそも西洋と東洋で違うんです。西洋は、人間とそれ以外を混ぜてはならないという基本的な考え方があります。相手を機械だとみなした瞬間、分かり合おうとする、通じ合おうとすることをやめます。機能として、サーヴァントとして働いてください、その位置づけで固定される。それが欧米のスタイルなんです。逆に言うとサーヴァントの位置をしっかり与えられているからこそ、欧米でＡＩが社会に進出するのは早いかもしれない。ただ、それ以上の存在にはならないんです。

――日本で、ロボットやAIに期待されているのはもっと曖昧な役割ですよね。一緒に暮らす相手になってほしい、とか。

三宅　東洋には、人間以外の存在にも自我を認めて、仲間や友達として付き合おうという思想が古代からあるんです。そして、無機物であるはずの存在を擬人化することで魅力を作るのは日本のお家芸です。鉄腕アトムは、人間の召使いではなく友達として描かれ、そのキャラクター性で人気を博しました。

――なるほど、道ばたの石にお祈りをする、さらにはそこに表情を見て思いやり、笠を差し掛けてあげるというような情緒はとても日本的なものですね。

三宅　その見なしや見立てが、今の文化につながっているんです。アイボを見て、欧米人はびっくりしてしまったわけです。実用的なものではない、むしろ人間が世話をしなくてはならないロボットを、なぜわざわざ作るのか、と。ロボットはサーヴァントだとする思想から見るとありえないんですね。初音(はつね)ミクも、ただのプログラムとみんなわかっていて、その上で愛着を込めてミクさんと呼んでいる。八百万(やおよろず)の神の世界観においては、人間が必ずしも上位ではない。森羅万象みな並列です。アイボが、初音ミクが、たまごっちが、そこにさらに次のロボットやＡＩが並んでもいいでしょう、という、ゆるい水平的な生命感が、今の日本が持つ最大の武器だと思います。

――ＡＩは、ひいてはＡＩを搭載したロボットやデジタルヒューマンは、鉄腕アトムや初音ミクを生み出した日本ならすんなり社会に入ってくると期待しても良いでしょうか。

三宅　はい。ＡＩエージェントを受け入れる環境として、日本は最高だと考えます。バレンタインデーには、アニメ会社にキャラクター宛てのチョコレートが大量に届きます。日本のキャラクターファンはキャラクターに手紙を書きますし、キャラクターの香水を買います。そういう土壌(どじょう)があったからこそ、初音ミクが生まれたわけです。欧米だったら単に優秀な音声合成ソフトとしてリリースされたはずのものが、キャラクターとしてデビューしたことがとても日本的な

んです。海外でプレゼンしたらはてなと思われそうなものが、日本ではしっかりと評価されるわけですね。

――その、日本の、外から見るととても奇妙だと思われてきた感覚が今世紀に入って以来、世界に共感者を生んでいます。キャラクターとしてのＡＩは日本国内でまずリリースして、ある程度育てた上で世界に発信していくというパターンがイメージできますね。そこは日本がＧＡＦＡＭに勝てる可能性があるところだと、本気で思っています。

機械をキャラクター化するセンス

――自動車はどうでしょうか。ＡＩにいかに便利で安全に運転させるかということだけではなくて、クルマがキャラクターを持つ可能性は。運転にクセを持たせるとか。

三宅　ＡＩの応用として自動運転も重要な課題です。最近は自動車メーカーと話をする機会もとても多く、まさに、クルマをキャラクターにしよう、性格を持たせようということも提案しています。例えばクルマに人間のような会話をさせる。汚れていたり不調があったりしたら〝かゆいよ〟とか〝痛いよ〟とか言わせたり。乗ってきた人間を認識して、〝ちょっと太ったんじゃないですか？〟なんて話しかけてきたり、走っている時に〝この道路は5年前に通って以来ですよね〟と教えてくれたり。あるいは、クルマどうしで会話させる。すれ違ったクルマに〝この先事故があって渋滞しているよ〟と教えたり、駐車場に停まっている間、隣のクルマとずっと話していて、持ち主があとで見るとそのログが残っていたり。クルマのＡＩをキャラクター化することによって、そういうことも可能なんです。

――日本人には、クルマを道具ではなく相棒と見る人も多いですからね。クルマがそんなふうに進化したら、すごく人気が出そうです！

三宅　ええ、そんなものが作れるのは日本だけだと思います。それから最近、建築物にＡＩを取り入れて進化させるスマートビルやスマートハウス、さらにはそれを街全体に広げていくスマートシティの研究開発も盛んに行われています。例えば住宅で、人がいなくなった部屋は明かりを自動的に消すとか、今どこに誰がいるか常に把握して、普段いない人を察知したら警報を出すといった機能ですね。その場合も、建物と人間の情報のやりとりは、キャラクターをインターフェイスにすることでとてもスムーズになるんです。

——壁など、いたるところに設置されたスピーカーから常に話しかけてくれる、ということでしょうか。

三宅　それだけでなく、ビジュアル的にも何らかのキャラクターを設定して、その存在が話しかけてくれる形がいいですね。建物には役割があります。それがキャラクターになるイメージです。例えば役所は建物ですが、その本質はハードウェアではなく機能です。無機質な音声や文字で案内されるのではなく、親しみやすい役所キャラクターが登場して相談にのってくれたりいろいろな手続きを助けてくれたりしてくれるほうがずっといい。

――確かに。それでずっと行きやすく、使いやすくなりますね。警察だったら制服の警官が出てくるとちょっと身構えてしまうんですが、ロボットのピーポくんだったら気軽に相談できそうです。

AIの忘れ方

――そんな日本的なAIキャラクターが目指すものと、現段階で世界を制覇しているGAFAMのサービスとの違いは、何でしょうか。

三宅　GAFAMは膨大なデータを蓄積し続けています。SNSで考えてみましょうか。SNSの良いところは、自分の過去をしっかりと覚えていてくれることです。行動履歴も、人間関係も、忘れない。10年前の出来事も正確に呼び出して、見せてくれたりする。人間には自分のことをしっかり記録しておきたいという欲望があります。それに応えてくれる。ただ、その機能が災いのもとにもなる。人間は忘れるから許せることもあるけれど、ツイッターは忘れない。何の気なしにつぶやいた一言が永遠に残り、争いのもとになったりします。1日で消えるシステムだったらあそこまで混沌にならないですよね(笑)。

——完璧な存在は、仕事の仲間には欲しいけど、一緒に飲みに行ったり旅行に行ったりはしたくないです。全てのことをいつまでも覚えている、そして永遠に死なない、今後そんな存在が身の回りに続々と現れるとしたら、それはちょっとつらいですね。

三宅 そこが、デジタルの知能に対して欧米が求めることと日本が求めることの違いだと思います。サーヴァントだったら高性能で完璧がいいけれど、仲間だったら違う。

——では、仲間としてのAIに必要なことは何でしょうか。

三宅 変化あるいは〝老い〟だと思います。これまでAIは〝生〟の部分だけを追求していました。無限の生を、無限の記憶を前提としていました。それは実はとても均衡が崩れた怖ろしい存在になっていきます。人間の秀逸さは、常に変化するところにあります。忘れる、老いる、それも人間の性能です。

――生き物が老いていく、死んでいく、ということにはきっと意味がありますよね。医学でも、人間をいかに永遠に生きさせるかという方向で研究が進められていると思いますが、じゃあなんで人間は、生物は、もともと死ぬことになっているのか、考える人は少ない。

三宅　はい。私も、生と死は分離していない、生があるためには死がなくてはならないと考えています。

――AIに老いや死を設定したほうが良いということでしょうか。

三宅　自然に老いていく人工生命を作ることができたらとても面白いですね。ただしそれが簡単なことではないんです。もちろん今でもＡＩに忘却や老化を指定することはできます。ただ今の技術で行うとしたら、古くなったメモリーが順番に消えていくという程度のことになります。それは人間の〝忘れる〟という行為とは異なります。人の記憶はうっすらと消えていきます。時系列と関係なくランダムに忘れて、忘れたはずのことでもなぜか突然一部分だけをはっきり思い出したりする。コンピュータにそんなふうにデータを失わせていく研究は、いまだに誰もやっていません。どう記憶してどう想起するかという研究は進んでいますが、それではどこまでいっても超高性能のマシンの枠を超えません。知識をディープラーニングにためていくだけではなく、

そこからいかに抜いていくか、という研究も必要でしょう。覚えるだけでなく、自然に忘れていく。それもただ忘れるのではなく、時に〝よく覚えてはいないけどあの時は楽しかったですね〟と言える……人間に親近感や安心感を与えるのはそんなＡＩなんです。

＊

ＡＩに生命を与えるためには、ＡＩを老いさせること、つまり人間と同じように死に向かわせるテクノロジーが必要だ。予定通りに消えることは死とは違う。その死とは、とても曖昧なものである……という示唆に特に衝撃を受けた。

その衝撃にどこか覚えがあったのだが、インタビューの後に思い出した。往年の名作『ブレードランナー』だ。

あの映画の中で人造人間レプリカントは4年という寿命を設定されていた。この設定によって、極めてリアルな、人間臭い存在感を表すのである。しかし、やはり彼らは人間になることはできない。もがき苦しみながら、ロボットとしてサーヴァントとして生き、死んでいく。

だが一体のレプリカント、レイチェルがついに人間との境界を失う。それは「いつ死ぬか」がわからなくなった瞬間だった。

人類は、今、機械から生命を作ろうとしてるのかもしれない。まだ成功はしていない。もし成功することができるとしたらそれは、機械に正しい「死」を与えることができた瞬間だと思う。

それがシンギュラリティだ、と、僕は思っている。

beyond the future

その先の未来

ロボットと結婚

『2001年宇宙の旅』から55年、『ブレードランナー』から41年。僕たちはずいぶん長い間、AIそしてロボットとの共生というテーマに向き合っている。そして今、ロボットを生活空間に迎え入れ、彼らを「人間」として扱う。そんな生活は、ここ日本ではもうSFではなくなっている。

アニメやゲームのキャラクターと結婚式を挙げた人は既にいる。どころか、そんな「二次元ウェディング」サービスを提供しているブライダル企業も存在している。ロボットを伴侶として迎えるという生き方も、すぐに一般化すると思われる。

そういう事象を肯定する時きっと「生殖はどうするか」という疑問が提示されることだろう。

安心して頂きたい。必要な人たちのためには、サキュバスやインキュバスのような行為を提供するロボットが出現するはずだから。ユーザーから安全に、快適に、精子や卵子を採取するものだ。そしてマシンの中での受精、培養を経て、多くの幸福な子供たちが生まれてくるだろう。

誤解されがちだが、そういう進歩は、人間がロボット化しているということではない。全てのアイディンティティー、全ての人々が、人間らしく生涯をまっとうするための大きな可能性がここにあるのだ。

おわりに

まえがきに記した通り、本書の企画は連作SF小説の設定を取材する目的からスタートしたものだった。それがあまりにも面白く、興味深かったために、単独でまとめることに決めたのだ。

当然、各テーマはどれもSF的なビジョンを強く喚起するものとなっている。ただし重要なことは、それらが遠い未来のものではなく、今もう現実化しているということだ。具体的な製品やサービスとして、まもなく、あるいはもう、触れることができるようなものばかりなのだ。

すでに僕たちは3D化された街を歩き回ることも、時にはその時間を巻き戻して過去の風景の中に身を置くこともできる。遺伝子から自分が朝型か夜型かを知り生活サイクルを決めることができる。AIに自分の理想の美少女を描いてもらうことも、その少女と会話することも、できる。

これら最先端のテクノロジーは、個人、特にその内面に影響するものが多い。例えば死者がアバターとなってバーチャル空間に生き続けるようになった時、その存在とどう付き合うべきか。そこには新しいモラルや心構えが必要となるはずだ。

しかし我々の準備は間に合っていない。時間はあまりない。宗教も、歴史も、このテーマにおいてはあまり役に立たない。まず今を知り、そして自分の脳で考えることがとても大切だと思う。

さて。完成した原稿を読んだ星海社・太田克史氏は「もう小説を書く必要がなくなりましたね」と言った。もちろん太田氏一流の挑発なのだが、これでかなり身が引き締まった。今、ここでは、現実がSFを追い越しているのだ。僕は、この先をしっかり書けるだろうか。

本書とともに、このテーマを全ての読者と共有したい。SFより面白い現実。その先はどうなると、あなたは思うか。

そのイマジネーションが、2030年、現実を抜き返し、現実を牽引していることを願う。

7つの明(あか)るい未来技術(みらいぎじゅつ)　2030年(ねん)のゲーム・チェンジャー

二〇二三年　四　月一七日　第　一　刷発行

著　　者　渡辺浩弐(わたなべこうじ)
©Kozy Watanabe 2023

発行者　太田克史(おおたかつし)

編集担当　丸茂智晴(まるもともはる)

発行所　株式会社星海社
〒一一二-〇〇一三
東京都文京区音羽一-一七-一四　音羽YKビル四階
電　話　〇三-六九〇二-一七三〇
FAX　〇三-六九〇二-一七三一
https://www.seikaisha.co.jp

発売元　株式会社講談社
〒一一二-八〇〇一
東京都文京区音羽二-一二-二一
(販　売)〇三-五三九五-五八一七
(業　務)〇三-五三九五-三六一五

印刷所　凸版印刷株式会社

製本所　株式会社国宝社

アートディレクター　吉岡秀典(よしおかひでのり)(セプテンバーカウボーイ)

デザイナー　鯉沼恵一(こいぬまけいいち)(ピュープ)

フォントディレクター　紺野慎一(こんのしんいち)

校　閲　鷗来堂(おうらいどう)

ISBN978-4-06-531618-4
Printed in Japan

257
SEIKAISHA SHINSHO

次世代による次世代のための

武器としての教養
星海社新書

星海社新書は、困難な時代にあっても前向きに自分の人生を切り開いていこうとする次世代の人間に向けて、ここに創刊いたします。本の力を思いきり信じて、みなさんと一緒に新しい時代の新しい価値観を創っていきたい。若い力で、世界を変えていきたいのです。

本には、その力があります。読者であるあなたが、そこから何かを読み取り、それを自らの血肉にすることができれば、一冊の本の存在によって、あなたの人生は一瞬にして変わってしまうでしょう。思考が変われば行動が変わり、行動が変われば生き方が変わります。著者をはじめ、本作りに関わる多くの人の想いがそのまま形となった、文化的遺伝子としての本には、大げさではなく、それだけの力が宿っていると思うのです。

沈下していく地盤の上で、他のみんなと一緒に身動きが取れないまま、大きな穴へと落ちていくのか？　それとも、重力に逆らって立ち上がり、前を向いて最前線で戦っていくことを選ぶのか？

星海社新書の目的は、戦うことを選んだ次世代の仲間たちに「武器としての教養」をくばることです。知的好奇心を満たすだけでなく、自らの力で未来を切り開いていくための〝武器〟としても使える知のかたちを、シリーズとしてまとめていきたいと思います。

2011年9月

星海社新書初代編集長　柿内芳文